paris que j'aime...
nouvelle édition

paris
que j'aime...

présenté par jacques laurent
raconté par jean-louis perret
légendé par pierre blanche
photographié par patrice molinard

aux éditions sun à paris

Jacques Laurent

PARIS est tant aimé que cette collection qui avait publié il y a dix ans un « Paris que j'aime » se devait d'en publier un deuxième. Il y a dix ans, Marcel Aymé était vivant et c'est lui qui était à la place où je suis aujourd'hui, chargé de mener à bien une introduction à une œuvre consacrée au plus troublant des amours : celui que depuis tant de siècles cette ville n'a pas cessé d'inspirer à ceux qui étaient nés sous son ciel tout comme à ceux qui rêvaient d'elle aux antipodes.

Si Marcel Aymé était fait mieux qu'un autre pour accomplir ce tour de force amoureux, c'est que sa sensibilité à Paris s'est révélée en filigrane à travers plus de la moitié de son œuvre. Jamais il ne brossait l'un de ces vastes tableaux de Paris comme en ont fait Balzac, Zola, Jules Romains. Avec eux le récit semble se suspendre et pendant une page ou deux le peintre isole la ville du flux romanesque. Combien de dictées nos instituteurs n'ont-ils pas trouvées dans ces descriptions immobiles ! Pour Marcel Aymé, au contraire, Paris n'est jamais séparé de l'action, il est un personnage comme un autre, qui vit avec les autres et dont la silhouette est toujours rendue par quelques touches. Quand Paris apparaît c'est furtivement ; une ligne suffit pour qu'un morceau de la ville soit là. Que Marcel Aymé situe une scène il la réussit en quelques mots, soit qu'il écrive « au pied du grand escalier de pierre qui escalade la colline de Montmartre » ou « dans la pente du square Saint-Pierre des loques de brouillard traînaient encore sur les pelouses », « le massif du Sacré-Cœur dressé en pâte blanche en haut du jardin désert ». Le plus souvent, il rend l'atmosphère d'un quartier par un jugement très personnel et très bref, comparant la couleur de la rue de Maubeuge « à celle de la pierre vue à travers de la fumée ». Presque toujours Marcel Aymé associe le paysage parisien à une certaine heure du jour, à une saison notant par exemple : « Les hautes branches des arbres se perdaient dans un ciel bas et blanc de brume qui mouillait la chaussée et les trottoirs du boulevard de Clichy. » Mais le plus frappant c'est la tendance de ce romancier à fuir la description, se bornant à noter que « Germaine se hâte dans la montée de la rue Lamarck » ou qu'« Antoine descendit la rue des Saules en courant ». S'il lui suffit de signaler que son héroïne se poste « au coin de la rue Lamarck et de la rue Paul-Féval », c'est que, malgré une enfance provinciale, Marcel Aymé s'était à ce point intégré à certains quartiers de Paris, et notamment au XVIIIe arrondissement, qu'il n'éprouvait pas le besoin de s'attarder à décrire des sites qu'il connaissait par cœur. Désignant le coin de la rue Lamarck et de la rue Paul-Féval, il reçoit la visite d'une image si familière qu'il lui semblerait vain de l'illustrer.

Relisant Marcel Aymé, j'en vins à m'étonner vraiment que l'absence de descriptions dans son écriture fût à ce point provocante. Du même coup je me posai une question : depuis quand la description régnait-elle sur l'appareil romanesque ?

Elle était étrangère au début du roman français. On la chercherait en vain dans *La Princesse de Clèves* ou dans *Manon*. Elle est apparue seulement avec les préromantiques qui, ayant substitué la nature à Dieu, se sont acharnés à décrire celle-ci, Rousseau n'en finissant pas de peindre les levers et les couchers du soleil, d'allonger les rives des lacs, de hisser des châteaux sur des collines, de fleurir des prairies, de manœuvrer les orages ou des clairs de lune.

La description s'est établie en toute autorité avec la génération de Balzac qui, en un temps où les cloisons s'effondraient entre les compartiments sociaux, était tenue de décrire à des ignorants, qui étaient peut-être les futurs invités de duchesses et de ministres, l'apparence d'un salon ou d'une antichambre. Bientôt cette nécessité engendra un goût même une passion, celle de s'attarder à l'analyse des objets qui constituent le décor d'une étude de notaire, d'une hostellerie de province, d'une salle de rédaction. Une ville, ses quartiers, ses rues devinrent pour Balzac, Flaubert, Maupassant, Alphonse Daudet des prétextes pour de vastes inventaires grandement orchestrés. Le roman s'empara même des heures de la journée, des diverses qualités de la lumière selon l'heure et la saison et ouvrit sur un monde qui semblait avoir besoin d'être raconté à des aveugles de larges baies qui enflent encore la voix des instituteurs :

— L'îleu de la Cité, virguleu, brumeuse, virguleu, se profilait entre les brancheu du fleuveu... ou l'haleineu bruyanteu des remorqueurs, etc.

Marcel Aymé a fait en sorte que jamais les enfants ne soient amenés à souffrir sous son nom de l'orthographe de ces tableaux glacés. Les inspecteurs d'Académie auront beau fouiller, ils ne trouveront jamais les dix lignes mortelles qui dégoûteront un écolier du spectacle de Paris. Marcel Aymé est un écrivain d'avant Balzac, d'avant Bernardin de Saint-Pierre ; il ne décrit pas Paris à l'usage de lecteurs qui l'ignorent ou le connaissent mal et qui ont besoin d'images pour l'imaginer, il l'évoque pour des amis qui le connaissent et auxquels il suffit de citer la rue Caulaincourt pour qu'ils la voient.

Mais tous les amants de Paris ne sont pas ses amis intimes, et pour ces amis lointains il est nécessaire d'illustrer les recoins de Montmartre où les filles livrent leur bouche, les avenues où la lumière du printemps joue avec l'ombre, les perspectives où le passé joue avec le présent. C'est là qu'intervient le miracle de la photographie. Grâce à elle, l'ensoleillement d'une terrasse de bistrot, le crépuscule d'un ciel propre à la Seine, le mouvement des toits, le chevauchement des boîtes de bouquinistes, le rêve immobilisé par la pierre et caressé par des mains nues, la présence des hommes sont montrés, imposés par la sûreté d'un regard qui complète la mémoire intérieure et tacite d'un écrivain. Les images qui vous attendent pourraient être l'illustration de tous les romans que Marcel Aymé a consacrés à Paris. Il est beau que la technique et l'inspiration photographiques s'avancent au-devant d'un peintre trop abstrait parce que trop familier avec son modèle.

Jacques Laurent.

15

*Le Pont-Neuf, quand il
était neuf, n'inspirait
pas tellement confiance
aux bourgeois de Paris,
prudemment ils
déconseillaient à leur
famille de s'y aventurer.
Le roi Henri démontra
sa parfaite solidité en
s'y promenant
gaillardement, alors la
foule encouragée, suivit,
et même elle suivit si
bien que le pont en
acquit une réputation
fâcheuse : les jeunes filles
ne devaient pas s'y
montrer, mais les enfants
n'avaient en tête que d'y
aller, voir
Gautier-Garguille et
Gros-Guillaume, et les
voleurs de tout Paris
s'y retrouvaient.*

A tire-d'aile, sur une perspective implacable et que l'on a qualifiée de royale, parce qu'elle était la promenade des Capétiens, la marine à voile et les navigateurs du jeudi.

L'extrême jeunesse, avant d'aller exercer ses ravages au loin, fait l'apprentissage des frissons de l'aventure, sur cette terre brûlée des Tuileries où chaque gravillon fut, quelque jour d'Histoire, projectile; à l'horizon, le fétiche géant de Ramsès II et le triomphe de son émule corse.

en hommage à Marcel Aymé
nous reproduisons ici sa préface
au premier « paris que j'aime... »

*La place Furstenberg est
un salon toujours vide,
ancienne cour d'honneur
du palais abbatial de
Saint-Germain-des-Prés,
un certain air d'apparat
lui en est resté.
Eugène Delacroix y vécut
six ans, peignant dans
les anciennes écuries. Les
antiquaires qui se sont
installés tout autour
ajoutent encore à
l'impression d'intimité,
avec leurs meubles et
leurs tableaux bien
éclairés.*

ON prétend que les Parisiens ne connaissent pas leur ville, mais je ne crois pas que ce soit là un reproche tout à fait mérité. Il vaudrait mieux dire que de Paris ses habitants ne connaissent que les lieux où les appellent les travaux et les plaisirs de leur vie : le quartier qu'ils habitent, celui où ils travaillent et, bien sûr, les boulevards, les Champs-Élysées, où ils rencontrent sur l'écran Lollobrigida, Audrey Hepburn et autres grandes figures de notre époque. Ajoutez-y quelques rues Saint-Honoré où aller voir le changeant visage de la mode, quelques grands magasins, quelques salles de spectacle, les Invalides et la tour Eiffel. J'oubliais les grandes gares, celles des vacances et celles de la guerre.

Comme on voit, cet ensemble de connaissances est loin d'être négligeable. Il suffirait à un historien du cinquante-septième siècle pour reconstituer très convenablement l'univers d'un Parisien d'aujourd'hui, sauf qu'il y manquerait, entre autres, l'hôtel de Rohan et l'église Saint-Julien-le-Pauvre. Depuis pas mal d'années déjà, les chemins de la vie ne mènent plus guère à ces reliques de l'histoire. Il est peu courant qu'après une semaine de travail au bureau ou à l'atelier, un homme réjouisse sa famille de la promesse d'aller passer le samedi après-midi à la Sainte-Chapelle. Pareille proposition serait accueillie plutôt fraîchement par sa femme et par ses enfants, et lui-même, à supposer qu'il se fasse un devoir de ce pèlerinage instructif, l'accomplirait sans beaucoup d'entrain. Les uns et les autres préfèrent à l'histoire révolue celle qui est en train de se faire avec leur modeste concours, histoire illustrée par le brin d'herbe qui pousse aux Buttes-Chaumont,

le match de football France-Autriche et le dernier film de Hitchcock, par exemple.

Visiter un palais ou une église plusieurs fois centenaire, c'est comme de rendre visite à un vieillard. Le vénérable aura beau être bien conservé, bourré de souvenirs et fleurir en anecdotes piquantes, ses arrière-neveux trouveront plus de charme aux chansons de Brassens et aux avantages de Sophia Loren. Sans compter que dans ces vieilles pierres tout imprégnées du passé flotte un parfum de scolarité qui n'est guère engageant. Ces machins-là, c'est bon quand on est en vacances, les jours de pluie, qu'il faut se taper un château Louis XIII ou un cloître roman. Ici, ce n'est pas dans le mouvement de la vie.

L'indifférence des Parisiens à l'égard de ces chères vieilles choses n'a donc en soi rien de scandaleux. A la Sainte-Chapelle, il faut en convenir, la communion est moins étroite qu'au Vél' d'Hiv' ou au Gaumont-Palace. Il est normal que les gens passent devant le Louvre et Saint-Germain-l'Auxerrois sans les voir. Ce sont d'agréables curiosités pour les touristes étrangers, mais qui se situent hors du circuit de la vie actuelle.

L'un des nombreux mérites de cet album est précisément de remettre tant de respectables monuments dans le courant de l'actualité. Après l'avoir feuilleté plusieurs fois, les Parisiens et aussi les non-Parisiens auront appris qu'une façade chargée d'histoire n'est pas retranchée dans son passé, qu'elle se compose tantôt avec le ciel, tantôt avec un arbre ou les yeux pervenche d'une bouquetière ou la silhouette de la tour Eiffel ou la boutique d'un crémier ou un effet de brume ou une tête de veau tombée du panier d'une ména-

gère ou une imaginaire floraison de n'importe quoi à disposer n'importe où selon le gré et l'humeur. Certaines images suggèrent que n'importe quel édifice patiné par les siècles peut avoir sa place dans la perspective sentimentale de n'importe quel Parisien.

....

Après avoir regardé les images de l'album chacun pourra se livrer à un jeu innocent qui touche de très près à l'actualité : si Paris était livré un jour à la fureur atomique des Américains et des Russes et qu'un monument (ou une rue ou un quartier) dût être par miracle épargné, sur lequel fixeriez-vous votre choix ? C'est un jeu amusant auquel on peut jouer seul, mais à plusieurs personnes il est évidemment plus gai.

Marcel Aymé.

Floraison, arbre de vie.
De mémoire de fleur
vit-on jamais bâtir de
cathédrale?
Celle-ci, de toute éternité
fixée sur son axe de
pierre, aiguille, vaisseau
reliant le ciel au centre
du monde, connaît un
épanouissement
immuable et des
bourgeonnements
impérissables.
Et, comme les très
vénérables végétaux,
s'appuie sur des béquilles
arc-boutantes, tropicales.
Rien n'est solide comme
la fragilité des plantes,
rien n'est plus sûr que
le tour des saisons.

*Paris est ville de nautes,
comme son blason le
prouve, et quelques
fastueuses demeures de
l'île Saint-Louis furent
bâties par de prospères
bateliers.
Les mariniers de la
marine en fer nous
viennent généralement
du Nord, comme les
Vikings ou les Normands;
ils ont un joli accent
belge, et la lessive bien
nette.
Il n'y a pas si longtemps,
le Petit Matelot, au coin
du pont Marie,
fournissait des vareuses
d'hiver, des foulards et
des jupons fourrés.
Mais, la fille de la
maison ayant épousé
César Birotteau, et ce
qui s'ensuivit, tout le
monde a déménagé,
vers la Défense.*

JEAN-LOUIS PERRET

Nous avons existé bien avant Paris, nous les Parisiens. Non pas que nous ayons l'insondable ancienneté du Ligure ou de l'Étrusque, mais tout simplement parce que d'innombrables Parisiens se firent connaître pour tels sans que Paris existât encore. Cette affirmation signifie que notre ville n'a pas été fondée par un ermite en balade au fil de la Seine, ou quelque roitelet d'invasion en mal d'établissement : ce sont les Parisiens eux-mêmes qui ont fondé leur ville, sur les lieux de pêche ancestraux. Et l'affaire a si bien réussi que, les Parisiens ayant créé Paris, il fut désormais admis que Paris ferait le Parisien.

**

Qu'une capitale soit traversée par un fleuve, la conjoncture est assez banale. Elle devient obligatoire dès qu'on sait que la ville en question est née dans une petite île par la volonté d'une société de pêcheurs de carpes. Cette origine insulaire est attestée par les historiens les plus sérieux ainsi que par le nom même du berceau : la Cité. Tout récemment encore, elle s'est vu confirmer par les entrepreneurs de parkings souterrains. En creusant le parvis de Notre-Dame, ils ont eu le désagrément de se heurter à plusieurs étages de maçonnerie pieuse, et la vigilance de quelques fonctionnaires sentimentaux a obtenu que certains fragments en fussent respectés, immobilisant ainsi la surface d'une bonne douzaine d'automobiles. Dans l'hypothèse où la pollution naphteuse et le remugle mérovingien voudraient se disputer ici un privilège d'environnement, le problème ferait sans doute l'objet d'un modus vivendi du type cryptique.

Pourtant, ni dans la Cité ni ailleurs nous n'avons encore exhumé la cabane de pêcheur fossilisée, raison première de nos gloires immobilières. Mais on sait par ailleurs que les grands ensembles de béton ne sont pas faits non plus pour durer des siècles.

Ce que nous savons encore, c'est que les pêcheurs, à l'étroit dans leurs îles, se sont transportés d'abord sur la rive gauche. Ils la jugèrent plus hospitalière que la droite, un peu marécageuse sur les bords. Mais cette expansion unilatérale ne dura pas, car il y avait parmi nos ancêtres des stratèges impatients de surveiller le nord du haut de Belleville, sans parler des vignerons qui lorgnaient déjà sur les pentes ensoleillées de Montmartre. Aussi peut-on dire, en gros, que Paris s'est agrandi de part et d'autre avec une intention de symétrie qui lui donne aujourd'hui un profil de meringue, bavant légèrement en direction de l'ouest.

*
**

Paris ne comptait jadis que des quartiers, ils sont désormais groupés en vingt arrondissements, lesquels, jaillissant du Louvre en une spirale senestrogire à triple révolution, semblent ajouter une sorte de vertige cosmique à tous les prestiges de la ville. Cela pourrait faire un itinéraire ingénieux, mais les Parisiens ne connaissent pas les divisions administratives. Ils préfèrent aller du 1er au 7e arrondissement sans faire mine d'ignorer la Seine. Car la Seine, disions-nous, a fait de Paris un partage très simple en deux parties sensiblement égales à vue de plan, et si efficace qu'à la longue il a pu aboutir à l'affirmation de deux personnalités assez différentes pour qu'on en vienne parfois à les opposer.

La Jeanne d'Arc des Pyramides Tamanrasset, est l'objet d'un fervent pèlerinage annuel, dont le sens risque d'échapper aux clients de l'hôtel Regina. Elle est l'œuvre de Frémiet, neveu de Rude, également auteur d'un « Gorille enlevant une femme », d'un « Cavalier gaulois », etc. Sa dorure, fréquemment renouvelée, en fait une fleur chinoise éclatante dans la grisaille de ces rues à angles terriblement droits.

Dans ce pâté de maisons, que
d'histoires, que de farces se sont
jouées, à l'ombre des sanctuaires !
Depuis Saint Louis, pieds nus,
portant la couronne d'épines
récemment achetée à un antiquaire
vénitien, et livrée par les messageries
de Troyes en Champagne, jusqu'aux
infortunés fournisseurs du collier
de la reine, que la maison de Rohan
mit plus d'un siècle à rembourser,
toutes les affaires de Paris se sont
déroulées ici, et M. Josse, orfèvre,
à l'enseigne de la Croix Verte,
donnait du chapeau à Molière,
tandis qu'à la Tour pointue, de
sinistre renommée, on ne cesse,
depuis 1911, de déclarer que la
salle des tortures, ce n'est pas ici,
c'est en face.
Au premier plan, le pont des Arts,
lieu assez distingué pour un suicide.

*Le profane et le sacré se manifestent à travers des formes semblables. Le génie de la Bastille, ou
«Liberté qui s'envole en brisant ses fers et semant la lumière», pourrait fort bien rejoindre l'octette
des anges musiciens de la Sainte-Chapelle, qui éteignirent d'un battement d'ailes l'incendie de la
Commune. De même, l'Assemblée nationale et l'église de la Madeleine,
étymologiquement synonymes, se ressemblent comme deux sœurs du même lit.
L'orgueil des ingénieurs, n'en revenant encore pas d'avoir su manipuler un obélisque, a gravé sa
prouesse dans l'indestructible, renvoyant aux sous-sols du Musée le socle naturel et impudique de
ce monument trop grand pour eux.*

*E = MC², ou les
surprises
du téléobjectif;
l'espace temps se
contracte,
cinq siècles de
fastes royaux écrasent
un peu l'arc de Septime
Sévère reconstitué par
Percier et Fontaine,
avec des morceaux pris
à Meudon chez la
Pompadour.
Les chevaux
piaffant sur son front
doivent être remplacés
de temps en temps, on
ne peut pas les tenir, ils
foncent vers les
Champs-Elysées se
dégourdir les jambes,
et, l'été,
on les rencontre
à Venise.*

Le fromage de l'ORTF; gros effort dans la lutte contre les parallélépipèdes, mais le ver est dans le fruit, avec un donjon du parti adverse. La tour Eiffel aussi, en son temps guerroyait pour la même cause, et la voilà narguée par la plus haute cheminée d'aération de Paris : cinquante-deux mètres.

Le pont le plus surbaissé de Paris est aussi une devinette : ces grasses acrobates nourries de crèmes,
qu'éclairent de riches lampadaires à facettes, figurent, improbables, les unes le Moyen Âge,
les autres le siècle de Louis XIV, la France moderne, etc. Leur unité de style souligne la permanence
de la bonne humeur nationale.

Dans le Marais, le cours des choses stagne un peu, les galeries du Palais-Royal et les arcades de la place des Vosges, riches de tant d'expérience, laissent les enfants grandir sans les presser : il sera toujours temps d'être vieux, comme Victor Hugo à sa fenêtre, ou Colette à son fanal; la tour Hérouet, seul souvenir d'une famille jadis considérable, est toujours là, malgré les imprécations des édiles qui l'accusent de gêner la circulation...

Les embarquements pour Cythère, sous les fenêtres de la police judiciaire, sont orchestrés par le mythique Jean-Sébastien Mouche, dont les centenaires sont inégalement célébrés. Sur la plage du Vert-Galant, aux arbres étrangement mutilés, ceux qui restent à la rive sont les plus à plaindre, cette petite Riviera Henri IV n'a pas suivi l'accroissement de la population.

Mais là comme partout ailleurs, les sociétés et les séjours perdent peu à peu leurs caractères distinctifs. Ainsi, que la rive gauche soit plus intellectuelle, artiste et désintéressée que la droite, on peut encore le décréter, non le prouver. Souscrivons donc à ce partage géographique autoritaire et d'usage populaire. Il convient assez pour esquisser une étude impressionniste et expéditive de la capitale. Nous traiterons les moitiés séparément, nous passerons de l'une à l'autre par les îles, sans oublier de nous arrêter cinq minutes pour voir couler l'eau sous le Pont-Neuf, ce qui est toujours infiniment profitable.

Abordons notre affaire d'est en ouest, comme le fleuve. Tant qu'à faire, ne vaut-il pas mieux s'abandonner au bon sens historique des envahisseurs et des promoteurs ?

*
**

Sur la rive droite, c'est Bercy d'abord. Tout le vin qui monte sur Paris par péniches ou wagons-citernes débarque à Bercy pour se couler dans les innombrables récipients de ses entrepôts. Voilà un lieu où la pollution atmosphérique se respire comme un bouquet de médoc mélangé d'aramon. Mais supposez que tout crève, Bercy la Rouge ne serait plus alors qu'une Venise bachique.

Ne faut-il voir qu'une coïncidence dans le fait que les populations limitrophes se soient distinguées dans notre histoire par leur propension à faire sauter le bouchon révolutionnaire ? Disons que les chansons patriotes, autant que les échansons voltigeurs, ont toujours contribué au tonus des émeutiers et au folklore des barricades. C'est la mystérieuse affinité du sang et du vin.

Si Jean-Sébastien Mouche embarque les voyageurs modestes, la grande nef de Notre-Dame, en revanche, peut entraîner, dans une fugue de Jean-Sébastien Bach, vers des horizons intemporels; l'opium du peuple y répand ses suaves fumets, aux portes du paradis sans artifices, que symbolise, rose candide, le moyeu de la grande rosace. Là se déploie toute la science du Paraclet, offerte à ceux qui savent déchiffrer la langue des oiseaux.

On a beaucoup guillotiné dans le nord de Bercy, sur la place du Trône. Elle en est devenue la place de la Nation, avec une allégorie monumentale de la République triomphante. Quelques décapités illustres témoignent discrètement de ce changement de vocation, enterrés à deux pas d'ici avec les carmélites de Compiègne dans le petit cimetière un peu secret de Picpus.

Mais la foire énorme qui, tous les ans depuis Lothaire III, fait les joyeuses Pâques de la Nation, s'appelle toujours la foire du Trône. On y vend de petits cochons en pain d'épice qui datent de 957 et se laissent grignoter en mémoire de saint Antoine. Son abbaye n'est pas loin, transformée en hôpital dans le faubourg qui porte son nom. Mais la grande notoriété de saint Antoine lui est venue surtout en tant que saint patron du beau meuble et du pavé militant. Il faut dire que le faubourg conduit à la Bastille comme le pavé conduit au canon.

On a trop dit de ce lieu-dit pour en dire encore. D'ailleurs, ce n'est pas à la Bastille que les choses ont commencé, mais bien ici, dans ce faubourg où le premier sang fut versé, en avril 1789; les ouvriers voulaient saccager la fabrique de papier peint qui avait construit la première montgolfière. Comme quoi les passions populaires ne sont pas toujours inspirées par l'amour du progrès.

Tous ces quartiers ont quand même été plus ou moins retaillés, rebâtis et modernisés depuis le début du siècle. Le boulevard Diderot lui-même n'est pas une encyclopédie de l'architecture française, il ne fait que mener sans histoire à la gare de Lyon, orgueilleux monument de la gloire ferroviaire et néanmoins paré d'un beffroi. Cette pesante coquetterie dans le style médiéval Émile Loubet est beaucoup moins attendris-

Çà et là dans Paris, des fragments de village ont échappé à la malédiction du baron Haussmann; ainsi, à Saint-André-des-Arts, ces trois maisons, en plein carrefour estudiantin, accordent à l'esprit cette partie de campagne dont il a tant besoin, la provision de ciel au-dessus des toitures, et la nacelle d'un balcon suspendu, où rôdent sûrement des chats canailles. Les villageoises traversent nonchalamment, comme il convient, mais savent-elles que sous leurs pieds gît un des hommes les plus spirituels du XVIIIe siècle, le président de Brosses?

Les arts fleurissent
quantitativement sur les
sommets et dans les
vallées : sur la place du
Tertre et le long des
quais. Ce déploiement de
symboles offre à
l'acheteur mille variétés
d'images qui suppléeront
au défaut de mémoire et
d'imagination, fixeront
sur des murs quotidiens
la magie du paysage
extérieur transfiguré
dans une émotion
artistique : la tour Eiffel
en couleurs dans un
deux-pièces, c'est un peu
Paris qu'on détient en
otage, à tout hasard.

sante que les décors pastellisés de Belle Époque répandus encore par les lambris somptueux du buffet des voyageurs ; mais, pour en jouir, il faut s'attabler.

Tapi derrière la gare, un grouillant petit ghetto chinois nous rappelle qu'il fut un temps où les fils du ciel n'en descendaient pas à Orly, mais débarquaient obligatoirement gare de Lyon, via Marseille. Il est toujours permis de rêver et nous supposons volontiers que cette enclave est peuplée par l'aimable descendance des petits Chinois enrichis par les bonnes œuvres de la bourgeoisie parisienne et qu'on y vit encore dans l'ignorance de Mao.

Et nous voici au quai de la Rapée, qui nous ramènerait à Bercy en quelques secondes par la grande voie riveraine où s'écoule, à une vitesse d'autodrome, le cortège des banlieusards qui n'ont pas toujours le temps de saluer au passage les défunts glacés de la morgue. Au loin, le fumet de pinard ne prévaut pas, hélas ! sur la fumée des échappements et la poussière des grands travaux. Au nord du faubourg Saint-Antoine, c'est la Roquette, Charonne, Sainte-Marguerite et le Père-Lachaise. Une prison, trois cimetières, mille regrets, mais croyez bien que ces quartiers n'en furent jamais gravement complexés.

Naguère encore, les mauvais garçons de la Bastoche ou de Richard-Lenoir et les Apaches de la rue de Lappe ne craignaient pas de hanter la rue de la Roquette sans même se croire obligés de narguer ses deux prisons hommes-dames. Celle-ci d'ailleurs est en démolition et l'autre a déjà disparu. Rien jamais n'empêche la population fixe et domiciliée de vaquer plus ou moins allègrement à ses occupations honnêtes.

Les petites rues ont gardé quelque chose de gentil et déluré comme au temps de Louis XVI. Mais il faut se lever de bonne heure, au sens propre, avant le flot.

Si l'évasion rétrograde vous plaît, tous ces quartiers-là vous en offriront bien sûr. Mais puisque vous y êtes, entrez donc dans l'église Sainte-Marguerite, rue Saint-Bernard. C'est un petit examen qui vous permettra d'étalonner vos capacités d'émotions, sans vouloir préjuger celles, plus solennelles, qui pourront vous étreindre devant les cendres d'Émile Zola ou le tombeau de l'Empereur. Dès votre entrée donc, vous respirez ici un parfum de piété caractéristique du XVIIIe siècle quand la religion se réfugiait chez les petites gens. Après quoi, sur la gauche, derrière l'autel de saint Joseph, vous ouvrez une porte basse, vous enjambez deux siècles et vous avancez doucement dans un cimetière intime et désaffecté où quelques morts se languissaient de votre affection. C'est là que repose un petit Louis XVII contesté. Mais l'inscription n'en doute pas, et le squelette est entièrement d'époque. Vous-même aussi, pour peu que vous rêviez.

Le Père-Lachaise, lui, évidemment, c'est autre chose : un cimetière qui a réussi jusqu'à devenir nécropole. Il fait partie des circuits touristiques en tant que musée permanent des arts et curiosités funéraires. Mais, toute curiosité satisfaite, lorsqu'on a vu les tombes d'Oscar Wilde et de Félix Potin, il n'est pas vain de savoir aussi que, du haut de cette colline, à quelques pas du mur des Fédérés, le jeune Louis XIV observait la bataille que Turenne livrait à Condé. Et qu'une légitime inquiétude ne déparait pas sa majesté.

Nous sommes ici dans une chaîne de collines : contreforts de Montmartre, Ménilmontant, Belleville, Buttes-Chaumont. Ajoutons-y Gambetta, élevé depuis peu à la promotion toponymique. Quelques églises villageoises encore, quelques traces de villages même, et mille vestiges d'une vieille civilisation très populeuse, populaire, voire populacière, orgueilleuse de sa condition ouvrière, très enracinée dans le sol natal et jalouse de son parler terriblement parisien.

Il n'y en a plus pour longtemps, semble-t-il, en dépit d'une xénophobie latente. La marée démographique se fait cosmopolite, il y a des gens qui viennent de n'importe où, de très loin et même de Montsouris. L'architecture apatride et hygiénique transforme le paysage. La rue Pelleport est méconnaissable...

Soit, ne pleurnichons pas sur nos murs crasseux. Si ce Belleville que j'aime doit mourir, le suivant sera-t-il aimable ? On veut bien croire que la question n'est pas là.

Des Buttes à La Chapelle, nous traversons l'étrange région des trois canaux qui vont se jeter dans le grand bassin de La Villette. Dans l'épaisseur des couches sédentaires, la batellerie s'est infiltrée avec ses mœurs, ses mythes, ses paysages.

Les abattoirs faisaient ici un monde à part. Rappelons seulement de quel poids la boucherie, en dépit de ses dehors préhistoriques, a pesé sur l'histoire de Paris.

Après les Halles, les abattoirs aussi ont reçu l'ordre de changer de place. Jetons un coup d'œil sur la rotonde de La Villette, un des pavillons d'octroi qui s'ouvraient agréablement dans la fameuse enceinte des fermiers généraux. Au retour de Varennes, l'infortunée berline tourna devant, et le roi dut se dire que le style Louis XVI passait un peu rapidement de l'élégance française à l'austérité romaine.

*\
**

Si pressés que nous soyons d'aborder les entassements historiques de l'Hôtel de Ville et du Marais, arrêtons-nous quand même un instant à l'hôpital Saint-Louis, rescapé des grands travaux de la gare de l'Est. C'est le plus bel ensemble d'architecture Louis XIII à Paris, avec la place des Vosges. Fondé en 1607 par Henri IV et placé sous le vocable de Saint Louis, mort de la peste, on y soigne principalement les maladies de peau en souvenir du saint patron qui touchait avec succès les écrouelles.

Enfin, nous allons traverser les grands boulevards sous la porte Saint-Martin et entrer dans Paris à la mode de Louis XIV. La rue Saint-Martin et les venelles adjacentes fourmillent d'histoire au singulier et au pluriel, comme sa parallèle voisine la rue Saint-Denis. L'architecture y est religieuse, civile, noble, roturière et par endroits assez délabrée pour justifier l'impatience des démolisseurs. Un certain nombre de pâtés d'immeubles vénérables ont été en effet ravalés au rang d'îlots insalubres et arrachés à la dévotion des « archéologues de la crasse ». Il en reste encore un joli paquet, guetté par les antiquaires qui emballeront les portes Louis XV, les petits frontons, les rampes de chêne à balustres, les ferronneries, les cheminées, les mascarons, les petits becs de gaz et les cordons de sonnettes. Et tout le reste partira en péniches de gravats pour le planning des ZIP et des ZUP. La technique du remploi est aussi vieille que l'archéologie.

Dans la rue Saint-Martin et ses abords, nous conseillons selon les goûts les trois églises et l'abbaye, les souvenirs plus ou moins tangibles de Gérard de Nerval, de Nicolas Flamel, du bossu de la rue Quincampoix, de Pascal, de Philippe Iᵉʳ, ou même de Henri Iᵉʳ dont, avouez-le, vous avez peut-être négligé la mémoire. Enfin, si vous avez l'oreille sagace, vous

Le Palais de Justice, dans son profil de légende, reste le monument de Paris le plus inquiétant : la plus vieille horloge de France, sans doute, au coin de la tour carrée, y compta les heures de trop de suppliciés ; Marie-Antoinette, la plus célèbre de ses prisonnières, à la Conciergerie, qu'on peut louer, aujourd'hui, pour y donner un bal. Quant à attribuer leur véritable nom aux trois tours rondes, les érudits se battent à coups d'arguments contradictoires : la tour Bon-Bec est celle où les suppliciés avouaient tout et le reste, mais celle de César ?

entendrez sans peine le pieux piétinement des pèlerins du nord qui traversaient joyeusement Paris pour aller à Saint-Jacques en passant par Saint-Martin, apôtre des Gaules et premier patron de la France.

*
**

Après la tour Saint-Jacques, érigée sur fondations carolingiennes à la croisée des grands chemins, il faut bien marquer un temps d'arrêt sur cette place de Grève qui a tant servi en histoire et en littérature et qui recommence une carrière sous le nom de place de l'Hôtel-de-Ville. On peut regarder l'Hôtel de Ville ; c'est une excessive imitation de celui qui fut incendié en 1871, mais il n'est pas si mal réussi après tout, et sa façade est le plus beau et le plus pullulant pigeonnier de France.

Nous voici donc au milieu de ce phénomène urbain. D'ailleurs, tout ce qui est plus ou moins rond, vivant et expansif, laisse prévoir en son milieu quelque chose de très important qui serait la raison de tout : pépin, noyau, moelle, feu central, clocher. Dans les constructions humaines, le bonheur de l'expansion accélérée s'exprime volontiers dans le désordre, la médiocrité ou le gigantisme. A mesure que nous pénétrons dans Vic-le-Bel ou dans Paris, nous les sentons devenir plus épais, plus chauds, plus saturés, plus captivants, plus essentiels.

*
**

Dans l'île de la Cité, le baron Haussmann a pu raser une douzaine d'églises et tout ce qu'il y avait autour, sauf Notre-Dame, sans abolir complètement les prestiges et privilèges du point de départ. Un centre est toujours d'attraction, c'est une loi. Une autre loi qui est d'expansion refoule le trop-plein sur la périphérie.

Voilà le plus littéraire des jardins de l'Europe: le Luxembourg, avec ses perspectives si raisonnables (il ne faut pas s'y fier).
La ponctuation est mise comme dans un texte d'Anatole France par des colonnettes un peu minces, des divinités un peu empêchées dans leurs draps de bain, et la césure, dans ces alexandrins blancs, c'est une chaise qui manque à une rangée presque parfaite.
Le beau jardin du Luxembourg est l'œuvre d'une astrologue, Marie de Médicis; il en résulte une perfection d'ordonnance calquée sur la nature des choses, mais traduite en langage d'architecte; Watteau, qui s'y promenait beaucoup, ne s'y est pas trompé.

Une troisième enfin ne voudrait de progrès que dans la bougeotte ; il en résulte donc un va-et-vient plus ou moins confus. Sur la rive droite par exemple, nous assistons à un reflux vers le Marais. A vrai dire, il s'agit plutôt d'un échange de population comme il s'en fait de siècle en siècle. Le Marais fut tour à tour noble et pouilleux, avec des périodes de mélange exemplaire. Aujourd'hui, c'est un menu peuple d'artisans et de commerçants qui cède la place aux nostalgiques bien rentés et aux snobs, ce dernier mot n'étant pas forcément péjoratif.

Il faut beaucoup d'argent pour s'offrir un appartement dans le Marais. On paiera ce qu'il faut, on s'endettera pour se tailler un studio dans les combles d'un hôtel signé Cottard ou se loger au deuxième étage d'un taudis Louis XIV. Pas question en effet d'y vivre sans le tout-confort. Le rénovateur a préalablement extirpé, gratté, évacué tout ce qui se trouvait dans l'intérieur pour ne laisser que les murs consolidés dans une vétusté d'autant plus précieuse qu'elle serait bancale. C'est tout de même mieux que la démolition pure et simple.

Les nouveaux habitants se sentiront peut-être anoblis par l'ancienneté des murs et la compagnie des fantômes d'époque. Et,pour peu que la noblesse oblige encore, nous les verrons protéger l'artisan et saluer les soubrettes portugaises avec toute la civilité des ducs bien nés.

Nous n'allons pas refaire ici l'étourdissant inventaire du Marais. Y découvrir un balcon, une moulure, une borne, une anecdote, un personnage de qualité qui ne soient inventoriés depuis longtemps, c'est encore possible, mais nous n'en n'avons pas le temps. Il n'est pas facile non plus de décider quel quartier de Paris détient le record de densité historique. On pense tout de suite au Louvre et à la Cité, mais la rive gauche nous attend et c'est un redoutable challenger.

Le Marais, en dépit de sa jeunesse relative, est grouillant de références. Les moins émouvantes ne sont pas celles que nous fournira ce petit trapèze oblong qui s'étend de Saint-Gervais à la Bastille, borné au nord par la rue Saint-Antoine et le bout de la rue de Rivoli, au sud par les quais. Saint-Gervais, dont Voltaire assurait qu'au seul vu de sa façade il était tout près de croire en Dieu, est non seulement bourré de mariages et de morts illustres, mais six organistes de la famille Couperin, dont le grand François, ont joué des *Gloria* et des *Requiem* au buffet que nous y voyons encore. Qui dit mieux ?

— Moi, dit l'impertinent petit Mozart, qui tapait gentiment du clavecin tout à côté en 1763, dans les salons de l'hôtel de Beauvais. Un siècle plus tôt, au balcon de cette belle demeure, propriété d'une ancienne nourrice de Louis XIV, la reine, encadrée de Turenne et de Mazarin, avait souri au jeune roi qui faisait son entrée à Paris au bras de Marie-Thérèse.

C'était le commencement de la rue Saint-Antoine, devenue rue François-Miron. Et, jusqu'à la Bastille, il nous faut aujourd'hui jouer des coudes en ce couloir si encombré d'héritage que la circulation y suffoquait et qu'il fallut y ouvrir des brèches. Les replâtrages ont été plus ou moins heureux, on y aura gagné au moins le dégagement et la restauration de l'hôtel d'Aumont. Quant au devant, il est rasé jusqu'au quai. Belle surface. L'idée de lui rendre ses jardins de jadis n'a pas été retenue. On connaît la comédie des espaces verts ; leur utilité sociale est dérisoire et ils ne sont pas rentables. Ce terrain-là est donc à bâtir. On y fera une Cité internationale des Arts. Sans préjuger ni sa beauté ni sa congruité, poursuivons notre chemin.

Autre terrain à rebâtir : les Halles. Depuis que les mandataires gaulois y décidaient du prix de l'aurochs en bifteck, ce ne serait pas la première fois que les Halles changeraient de visage ; mais elles ne changeaient pas de place. Elles ont fini par se rendre indésirables, insalubres même. Halles et hallicoles ont donc été expédiées à Rungis, où elles auront l'éternité pour se refaire une tradition.

La bataille a fait rage sur le carreau condamné. A l'idée de s'exprimer au cœur de Paris et sur une telle surface, l'urbanisme en salivait d'impatience. Rien n'excite mieux le zèle des novateurs comme de construire sur les gravats d'un quartier trop longtemps célébré. Disons qu'il en fut de tout temps pareil et passons outre.

Vous savez probablement respirer le passé sans avoir pour autant le cœur moisi. Le parfum retrouvé du crottin de cheval ne vous empêche pas de savourer les gaz d'auto. Quoi qu'il en soit, même si vous adorez Paris en vous fichant de son histoire, elle ne peut moins faire que d'être un peu là, fût-ce à votre insu.

Il existe pourtant des cas d'allergie historique. Mettons que le mal vous saisisse brusquement, aux Innocents par exemple, ou rue des Lombards ; l'aimable Clio vous apparaît soudain comme une rombière obsédante et toxique. Craignant alors qu'elle ne vous donne des boutons, vous la laissez tomber pour filer vers le nord par le boulevard Sébastopol. Par là, en effet, vous ne risquez pas de rencontrer Pharamond, ni même Louis-Philippe.

Si le square Émile-Chautemps vous met un vague à l'âme, vous avez l'Institut d'hygiène au numéro 57 du

Sous le pont de nos amours coule la vie-est-lente; et l'espérance des jeunes filles est violente; combien de projets, combien de promesses, combien de paroles données ou bien tenues. Le long des berges de la Seine, promenades et fiançailles vont la main dans la main. Quand d'autres capitales se spécialisent dans l'érotisme, et d'autres dans le puritanisme, Paris reste, comme dans les chansons, la ville des amoureux.

De la gare de l'Est au Trocadéro, l'autobus 30 chemine, non sans mérite, à travers des milieux bien divers; le situer socialement serait difficile; d'autant que les mauvaises fréquentations sont inévitables sur toute une portion du parcours; ensuite les choses s'arrangent un peu: à frôler la plaine Monceau, on respire l'air des grandes dynasties financières, de la très haute pègre et de la moyenne bourgeoisie.

Dès qu'on arrive à l'Étoile, alors, c'est le triomphe des beaux quartiers, le célèbre Seizième, quantième magique des succès mondains ordinaires, les plus prisés, forcément, et qu'on n'étudiera jamais d'assez près; ici des enfants de bonne famille s'y entraînent scrupuleusement.

La petite église Saint-Pierre de Montmartre est l'une des plus vieilles de Paris. Elle a connu bien des vicissitudes, jusqu'à la construction de la basilique du Sacré-Cœur, décidée en expiation des péchés de la France, et dans ce qui fut considéré comme un impeccable style roman périgourdin...
A cette occasion, l'ancêtre fut rendue présentable, et rhabillée dans un genre moins coûteux. Le clocher carré s'inspire de celui de Saint-Germain-des-Prés.

Ici, tout ce qui brille est hors de prix. L'éclat
du diamant est glacé, mieux vaut se couvrir
de peaux de bêtes, jeunes filles à la narine
frémissante de convoitise. Attention, chasse
gardée, ou safari, nul n'y rôde, choisissant un
trophée, qui sache s'il est gibier ou bien
chasseur. Heureusement, loin de la place
Vendôme au dangereux périmètre, il y a des
plaisirs qui ne doivent rien
au contenu des vitrines.

Les noms ici résonnent, victoires sans généraux, mais quels
stratèges, à Clichy, Batignolles, ô mes aïeux, et cet écho gravé au cœur
du Parisien, accents inséparables de la gouaille dans le
monde entier, c'est comme à Ménilmuche, dans un gyroscope
en délire, trésors des archétypes culturels : Rayon d'or, Grille d'Égout.
La Duchesse de Tolbiac et Notre-Dame-des-Fleurs, vos bijoux de famille
ne sortent pas de la rue de la Paix, mais des sentiers de la guerre.

Un Africain sur l'esplanade du Trocadéro, une bonne sœur au rond-point des Champs-Elysées, un balai, un rosaire, vers quels destins, ma sœur, vers quels secours la tour Eiffel écarte les jambes, les drapeaux claquent, la petite dame de droite m'a l'air un peu pète-sec ; s'il fallait balayer toutes ces terrasses, une vie entière n'y suffirait pas ; dès lors, à quoi bon s'y mettre ? Pendant ce temps-là, il y a des gens qui déjeunent, bien au chaud dans leur cage de verre, au premier étage de la tour : c'est cher, mais c'est bon.

Dans les vapeurs mystérieuses de la forêt de Brocéliande, qui sont ces cavaliers farouches? Ce sont des demoiselles à marier qui prennent un peu d'exercice, au bois de Boulogne, dans le seizième arrondissement. Leur blonde chevelure est pleine de particules et de lumière matinale; leur œil s'arrondit d'une indulgente réprobation, un peu plus tard, à la vue de cette foule sans gêne et dominicale qui envahit les pelouses.

Les dimanches sont parfois bien chauds; quand le soleil n'arrive pas à percer la brume épaisse, on ne sait plus où se mettre: de l'autre côté de l'eau, l'herbe est plus verte, et les sous-bois inviolés, seulement, pour y aller, il faut d'abord fréter une embarcation.

Même en semaine, il n'est pas interdit de flâner, surtout rive gauche, où l'on remarque encore un grand nombre de gens qui n'ont visiblement rien de mieux à faire : ce couple qui sort de chez Lipp, genre jeune cadre supérieur, ne baguenaudera pas longtemps; trop de responsabilités l'appellent, comme on dit. Mais ces jeunes gens, là, boulevard Saint-Michel, et vous aussi, là-bas, sur le pont au Change, petits malheureux, vous allez être en retard; quant à celui-là, agenouillé, c'est un étranger, certainement.
— Ouf! ma chère, s'il n'y avait pas eu un banc au milieu de la passerelle, je crois que je me serais écroulée!

boulevard de Sébastopol. Il y a aussi, non loin, une académie de billard, mais cinquante points ont bientôt fait de nous vieillir et rappelez-vous que Louis XIV était amateur de billard. On n'en sortira pas.

Et, au bout du chemin, ce sont encore les pantalons rouges de Quatorze qui forment les faisceaux pour vous dire deux mots devant la gare de l'Est. Alors, autant nous jeter hardiment dans la rue Saint-Denis et son faubourg où la population persiste à pulluler allègrement sur la mémoire de soixante générations qui en ont vu de toutes les couleurs. Et tous les rois ont passé par là, ne serait-ce que morts et pour se rendre à Saint-Denis. Ainsi le corps de Saint Louis, porté à dos d'homme, l'homme étant son fils.

Tout au bout, c'est la chapelle mérovingienne où Jeanne d'Arc, ayant fait sa prière avant l'attaque, nous rappelle que les libérations de Paris se suivent et ne se ressemblent pas. Cette chapelle a donné son nom au premier de nos grands échangeurs de véhicules: ce sont les hasards de l'aventure toponymique.

Et maintenant, cap à l'ouest pour escalader Montmartre, point culminant magnifié par la basilique toujours blanche qui n'en finit pas de refuser la patine. Saint Denis, de son côté, n'en finit pas d'arpenter la crête en portant sa tête entre ses mains, voulant montrer par là, dit-on, qu'un bon Parisien n'est pas tenu d'avoir la tête sur les épaules pour marcher droit ; mais il y a d'autres leçons.

Pour le reste, n'ayant pas licence d'emmener une cordée de lecteurs sur ces pentes abruptes, nous en resterons là de Montmartre. De toute manière, la Butte a obtenu sa personnalité, préalable à son auto-

Au jardin du Palais-Royal, la nuit, quand personne ne les voit, les chaises vont au bal. Dieu sait à quel sabbat elles se livrent dans le secret de leur intimité : nous autres, mortels humains, n'en aurions pas le moindre soupçon, si elles n'oubliaient pas, au petit matin, d'effacer les traces qu'elles ont laissées dans le sable : il faut ouvrir l'œil, mais, grâce au ciel, les enfants innocents qui viennent jouer, à portée de radar de leurs mamans, ne se doutent de rien.

nomie interne, et il ne serait pas délicat de l'englober dans un panorama de Paris. Nous conseillerons seulement à ces montagnards industrieux de surveiller les cols et les vallées. Il y a des infiltrations, des implantations ou de prétendus rajeunissements qui peuvent dénaturer leur cité jusqu'à faire dire qu'elle n'est plus qu'une manière de guignol ou de souk. Tel est l'ordinaire péril dont se doivent garder les hauts lieux profanes ou sacrés. Il n'y a pas de trésors invulnérables, fussent-ils immatériels.

*
**

Des balcons de cette montagne, nous regardons vers l'ouest les « beaux quartiers » enfin découverts et nous dévalons vers les Batignolles. Aristide Bruant ne chantait pas au-delà, mais, attirés par sa voix, les fiacres venus de l'ouest passaient ici une barrière socio-culturelle qui commence à mollir.

Étant admis qu'il n'est de beaux quartiers que de la rive droite, ils font, dans leur nord-nord-ouest, frontière commune avec Paris, la Seine les bordant au sud-est et au sud. La vanité aidant, ils poussent dans le nord-est un bornage contesté jusqu'à la rue de Rome et l'harmonieux faisceau des rails Saint-Lazare. L'ensemble de cette fédération nous offre le profil d'un tapir qui aurait l'œil dans l'Étoile et le nez sur la porte Saint-Cloud.

Jetons un regard express sur ces cantons fortunés.

Faubourg Saint-Honoré : fermiers généraux et successeurs ; Mme de Pompadour, Caroline Murat, Félix Faure, Vincent Auriol et successeurs ; commerce de superchic, secrets d'État, parfums-couture et flâneurs de luxe.

Fille de Maillol et veuve d'Auguste Blanqui, «l'Action enchaînée», promise sous un ciel de Provence à un monument funéraire, fait contre mauvaise fortune bon cœur, sur les pelouses de la vieille cour du Louvre, où les frontons de Pierre Lescot mettent son bronzage en valeur. Derrière elle, «Pomone», indifférente, ne fera pas un geste pour la délivrer.

Les tours de la Défense sont la porte du Vexin, dernier développement de cette poussée partie de la nef de Saint-Germain-l'Auxerrois, à travers le Louvre et les Champs-Elysées, et dont, longtemps, on a pu croire que l'Étoile était le dernier mot. C'est tout le tropisme de Paris qui est en jeu, un mouvement de libération de la tutelle ancienne des archevêques de Sens, il faut tendre vers la Normandie pour garder l'équilibre entre grandes puissances, le Parisis est un petit pays à vocation interprovinciale.

Les temples de l'amour connurent une grande vogue, sous les derniers monarques : sujets de conversations et buts de promenades, ils centraient de jolies perspectives que la mode, bientôt après, anglicisa; certains, comme celui-ci, dans la périphérie, ont gardé le mystère de leurs jardins aux senteurs troubles de l'adultère Ancien Régime : symboles de péché, mais surtout art de vivre, ils sont devenus tellement indispensables à notre équilibre psychique qu'on élève aujourd'hui de hauts immeubles tout autour, afin que le plus grand nombre de citoyens en puisse jouir de sa fenêtre.

Ternes : chemin de ronde de la barrière du Roule devenu l'un des sens giratoires les mieux fréquentés après le Rond-Point. Le parc Monceau, jardin anglais pour marquis philosophes, avec ruines, tombeaux, grottes et naumachie ; les confortables nourrices en bonnet tuyauté ont fait place aux petites bonnes espagnoles qui ne nourrissent plus ; église Saint-Ferdinand, son décor byzantin, ses mariages de prestige.

Place Malesherbes : spécialité d'hôtels cossus Napoléon III-Fallières pour banquiers sérieux et artistes arrivés ; parmi ces derniers, quelques défunts ont leur buste en square autour des encombrants Dumas, mais il y a encore des places.

Champs-Élysées : nés dans les carrés de choux arrosés par les égouts de La Ville-l'Évêque ; Marie de Médicis y planta le Cours-la-Reine, Le Nôtre suivit, etc. ; partie du grand axe royal annexé par les Bonaparte ; sa piété patriotique, ses exhibitions de chefs d'État ; tout le cinéma, toute la bagnole et le promenoir de l'Occident.

Étoile : douze hôtels Napoléon III, douze avenues dont celle du Bois, devenue Foch, empyrée de la réussite; les glorieux de naguère y montraient voir leurs conquêtes en calèche, le cinéma y va mener son teckel faire pipi.

Alma : sur la place, gros nœud de circulation et, devant le pont, cinq avenues pour répartir, de la Muette à La Boétie, les honorables populations venant du Champ-de-Mars ; en cas de nécessité, on peut traverser à dos d'homme, sur les épaules d'un zouave pour les dames, d'un chasseur pour les demoiselles.

Chaillot : sur la colline, un complexe muséo-lyrique a poussé sur les ruines d'une demi-douzaine de châteaux succédant au pavillon de Catherine de Médicis, où Bassompierre devait brûler six mille lettres d'amour ; bon an mal an, Alexandre Dumas tirait aux alentours ses dix douzaines de perdrix.

Passy : hameau snobé dès le XVIIIᵉ siècle, bal champêtre pour princes démagogues ; retour au calme avec thébaïdes douillettes pour retraités de la finance romantiques et poètes en activité ; persiste à maintenir une vague idée de village.

Auteuil : ce fief de l'abbaye de Sainte-Geneviève donnait un sacré petit vin blanc dont s'égayait la fameuse bande à Boileau ; des générations de candidats au bachot ont traité le sujet ; dispute à Passy le record des villégiatures illustres ; s'évertue à garder la tradition avec des bouts de jardin.

Il va sans dire que les couvents florissaient sur tous ces coteaux ; l'austérité qu'on y rencontre aujourd'hui serait plutôt celle des coffres-forts.

C'est un fait que, dans ces concentrations urbaines, la grosse galette fait parfois le climat un peu lourd. Mais, quelle que soit l'épaisseur, il y a des courants d'air et des éclaircies. Franchement, les beaux quartiers ne sont pas aussi ennuyeux que se plaisent à le dire les infatués de la rive gauche. Les avenues de Crésus ne sont pas nécessairement peuplées d'illettrés. Rappelons aussi que les quartiers riches ont leurs variétés de pauvres et précisons que des rues très populeuses se faufilent à l'aise dans les gros pâtés de pierre de taille doublée de Corot et de Braque. A noter enfin que les nuits de l'avenue Henri-Martin s'émoustillent parfois à l'approche d'un jeune fakir en lambeaux ou d'une

La gare Montparnasse est un échiquier, un jouet gigantesque que manipule un homme invisible, minuscule et génial, caché derrière la soixante-treizième fenêtre à gauche, en partant de la septième rangée de l'immeuble B, mais personne n'a encore découvert à quel étage.

Personne non plus ne sait trop où vont ces trains; de toute façon, au guichet des renseignements, on jure qu'ils ne dépassent pas la Bretagne.

On croit savoir qu'à Brest il y aurait une réplique, plus modeste, de cet ensemble, qui renverrait les trains à leur point de départ, et chargés de jeunes Bretonnes en coiffe.

Enfin, les voilà, bien visibles, les fameux chevaux
du Carrousel.
Les nymphes de la Concorde, elles,
sont la sagesse même.
L'athlète assis du Trocadéro, lui, boude la parole
d'or de Paul Valéry, gravée au fronton du palais,
et qu'il ne fait pas un effort pour lire;
sans doute son silence est-il de pierre.

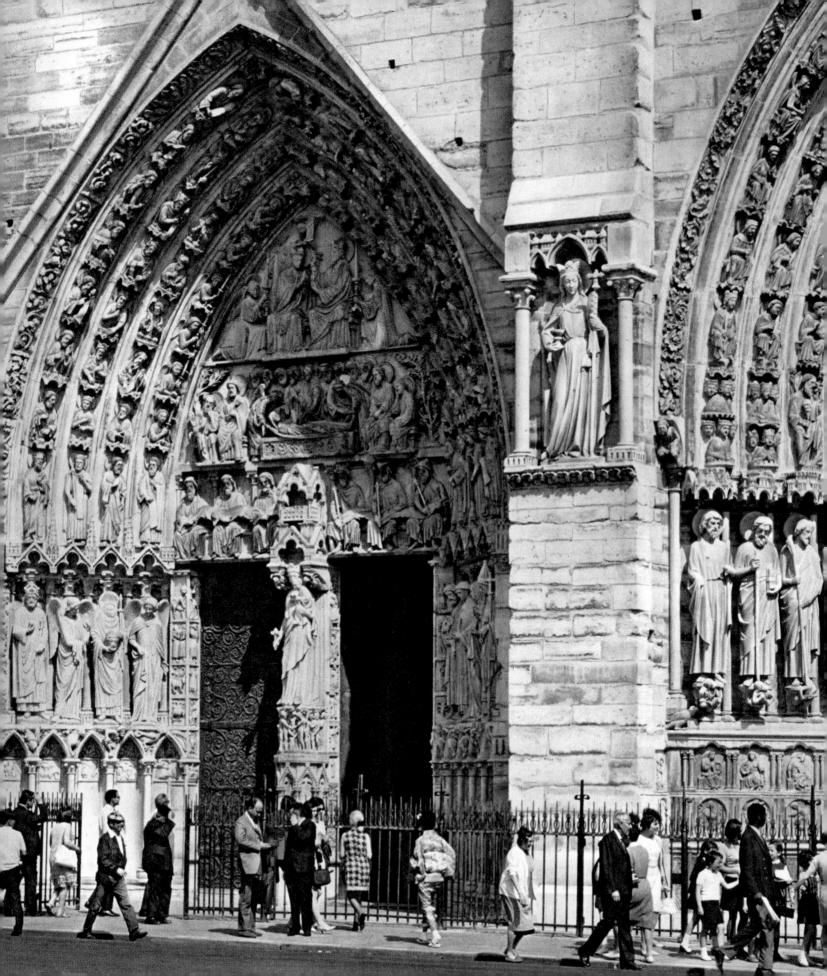

Le flot des visiteurs à Notre-Dame ne tarit jamais, été, hiver, dimanches et jours ouvrables, à croire que la dévotion est en plein essor. La meilleure façon de s'y recueillir dans une solitude religieuse est de s'y faire chanoine. Cette situation donne accès aux stalles, très tranquilles, bien qu'un peu raides, mais les coussins sont autorisés, et transmissibles aux héritiers naturels. Sans parler de la considération qui s'attache à la chose, le Chapitre ayant fourni à l'Histoire sept papes, vingt-neuf cardinaux, et deux oncles de poètes : Villon et du Bellay. L'entrée de la nef est gratuite, mais, en général, les Petites Sœurs des Pauvres, à l'entrée, font ce qu'elles peuvent, à l'aide de jolies sébiles de velours froncé.

Pour aller de l'Hôtel de Ville à la Sorbonne, le rêve,
c'est d'avoir un vélo, mais on peut faire le chemin
à pied, bien sûr. Et même s'arrêter comme ce jeune homme,
sur les parapets des quais, ils sont toujours propres
et juste de la largeur qu'il faut : on y est très bien.
Si on aime le style Renaissance, on est servi,
rien dans le genre n'a été si poussé qu'à
la « Mairie » de Paris.
Le clocher de Saint-Germain-des-Prés,
en comparaison, est d'une pauvreté de bohème;
enfin, nous arrivons à notre but : cette belle chapelle
est de Lemercier et contient, entre autres curiosités,
les cendres de tous les Richelieu, plus le crâne,
et même le chapeau de l'illustre cardinal fondateur.

Du haut de Notre-Dame, l'ange alchimiste, ou bien simple souffleur, marque la croisée des chemins de Lutèce, entouré d'animaux symboliques et de chimères, ou bien sereinement annonce-t-il la fin des temps, de sa trompette de Jugement dernier; c'est l'invitation au voyage intérieur. Sur les toits du Grand Palais, fustigeant leur quadridge, les dieux profanes et nus se révoltent contre l'immobilisme.

Au Louvre, tout nous invite à réfléchir ; ce petit garçon perplexe se demande si le hussard a fini par maîtriser son cheval... Quoi qu'il en soit, drôle d'idée de vouloir lui couper la queue !

Doux Jésus ! murmurent ces demoiselles, contemplant le Bon Apôtre dans la promiscuité d'une femme trop fardée. Quant à ces touristes, la Joconde les fait sourire, vous pensez. Les bras m'en tombent, dit Vénus, sûre de son effet. Le débarquement de Catherine de Médicis : alors, là, mon chéri, tu vois que ma cellulite, ce n'est rien du tout !

A Saint-Germain-des-Prés, à Montmartre et ailleurs, la terrasse de café joue un irremplaçable rôle dans les rapports humains; pour cette raison, sans doute, on y rencontre souvent des sociologues qui, parfois, ignorent la sociologie comme M. Jourdain ignorait la prose. La dame d'en haut trouve que c'est bien long, la jeune fille d'en bas a sûrement rendez-vous avec quelqu'un. En haut à droite : un trop-plein d'affection prêt à déborder, au-dessous : trois sociologues. Ci-contre, place du Tertre : trois autres.

Saint-Étienne-du-Mont, sanctuaire vieux de huit siècles, reste surtout le chef-d'œuvre de Baltard, qui le restaura et l'embellit en 1862 : les restes de Racine et de Pascal y sont conservés.
Ce versant de montagne, qu'on appelle Sainte-Geneviève en a vu de toutes les couleurs; si les maisons pouvaient parler, il faudrait les faire taire : jusqu'au quai de Montebello, on ne discutait, au XIIᵉ siècle, que d'Héloïse et d'Abélard; cent ans plus tard, que du grand Albert, ou Maubert, dont saint Thomas suivait les cours, et dont les concierges recopiaient les recettes de sorcellerie.

Toltèque à chevelure pleureuse qui viennent se refaire la cerise dans le frigo familial ; car la route est longue aux pèlerins de la rive gauche où nous allons aborder bientôt.

⁂

Il n'est pas interdit de penser que la Seine subira un jour le même sort que la Bièvre et qu'elle sera recouverte. On a signalé déjà, mûrissant dans les ministères, certains projets assez gratinés visant à tirer parti de ces milliers d'hectares qui insultent au cours des choses et à la nécessité de la propriété bâtie. Mais, en attendant, nous pouvons encore franchir la Seine sur quelques ponts et passerelles, une trentaine en tout.

A chacun son pesant d'histoire pour enjamber avec plus ou moins de grâce le cloaque historique. Le seul où l'on puisse encore surprendre des flâneurs et croiser de petits landaus en promenade est le pont des Arts, interdit à la circulation automobile. Par-dessus ses rambardes délicates, Apollinaire venait entre chien et loup larguer ses bibelots dérobés aux vitrines du Louvre. Mais on y rencontre aussi des académiciens en civil car cette passerelle conduit tout droit à l'Institut et les y mène comme dans un fauteuil.

C'est peut-être ce voisinage d'immortalité qui soutient encore un monument presque contemporain, le splendide Pont-Neuf. Il est émouvant, trapu et sa solidité fait proverbe. Ce serait à coup sûr le plus beau de tous s'il n'y avait en aval le pont Royal, perfection inégalée dû au génie civil du Grand Siècle.

Mais le pont Royal est plus neuf et le Pont-Neuf est la voie royale pour passer du Parisis en Hurepoix. On n'y rencontre plus ni bateleur ni tire-laine ; mais Mᵐᵉ de Sablé, qui de sa vie ne voulut franchir la Seine

A en croire les dames du temps, si on l'appelait le Vert Galant, ce bon roi Henri, ce n'était pas pour des prunes.
Il n'était pas de marbre : le voilà coulé dans le bronze de la colonne Vendôme, sur son cheval truffé de pamphlets subversifs par un sculpteur républicain. Comble de cruauté mentale, l'artiste a représenté le monarque de façon qu'il ne puisse voir ni la Belle Jardinière, ni la Samaritaine, mais seulement le Palais de Justice, où il eut peu d'amis, et les Grands-Augustins, où il en eut encore moins. Le voici de glace, à la mauvaise saison, quand les amoureux battent la semelle. Derrière lui, la Monnaie, qui lui frappe de temps en temps une médaille, et la haute cheminée où l'on brûle les faussaires.

qu'au pont Notre-Dame, s'y arrêterait aujourd'hui volontiers car on y tient salon dans ses alcôves de pierre. Bon nombre d'innocents damoiseaux garnis de poils et d'amulettes y attendent en effet le diplôme qui doit tomber du ciel, s'étalant ici plus à l'aise que sur les trottoirs encombrés du carrefour Buci où la guitare les conduit parfois au violon. Et sur le Pont-Neuf, la statue du Vert-Galant n'est-elle pas une garantie toujours suffisante des libertés publiques ? Les gardiens présumés d'icelles ne sont d'ailleurs pas loin. Ils ont même accoutumé, venant de la Préfecture sous les ombrages de la place Dauphine, de s'arrêter un instant au tabac du coin avec mandat d'amener un petit verre d'anjou en compagnie des chefs de rayon de la Samaritaine.

Toujours sur le Pont-Neuf et dernière étape avant de poser le pied sur la rive gauche, nous pouvons encore nous rincer la bouche et chasser les miasmes à l'une des dernières fontaines Wallace de la capitale. Nous nous y gargariserons prudemment de cette eau de Seine qui a beaucoup traîné sous les ponts depuis que l'empereur Julien recommandait sa pureté. On affirme qu'elle est maintenant polluée, mais il s'en faut de beaucoup qu'elle ne décourage les pêcheurs à la ligne ou les baigneurs en maillot qui, dès les premiers beaux jours et dédaignant les eaux filtrées, viennent encore se dorer sur les derniers mètres de quai épargnés par les voies sur berges.

Les bouquinistes aussi ont la vie dure. Les chats meurent en cinq minutes sur la place de l'Opéra tapissée de vapeurs délétères, mais les bouquinistes, eux, tournant le dos à la Seine, regardent couler et respirent à longueur de jour cet autre fleuve qu'est le flot bien nommé des voitures. Et ils continuent d'ouvrir leurs boîtes et d'amuser avec des miettes de pain les

Le Lido serait la cathédrale de ce que l'on appelle les « boîtes de nuit », s'il ne s'agissait moins ici d'une boîte que d'un écrin.

De la Bastille à la rue Laffitte, le chemin est tortueux, encore qu'il ne faille trop sacrifier à l'imagerie manichéenne : les purs enfants de la Bastoche, nourris dans les fleurs vénéneuses du métropolitain, se retrouvent très vite dans cette rue qui fut notre Wall Street, artère de banquiers, où s'installa Lola Montès, et où perpétuent d'antiques mystères les paroissiennes de Notre-Dame-de-Lorette, patronne des courtisanes à la peau de chien.

*Atmosphère, atmosphère!
Les impérissables
répliques de « l'Hôtel du
Nord » roulent sur le
canal Saint-Martin avec
le teuf-teuf des lourdes
péniches du patrimoine
culturel national.
Pourtant, les passerelles
ont été dessinées par un
calligraphe japonais de
la haute époque. Aussi
loin qu'on plonge dans
le passé de ses eaux
troubles, on y détecte des
mystères insolvables.
Sous Louis XVI, les
mariniers de toutes les
rivières de France y
tenaient leurs états
généraux, dans des
guinguettes où mieux
valait montrer patte
blanche. Plus
anciennement, au temps
des Capétiens directs, se
profilait dans ces parages,
alors secs, et comme une
menace très précise, le
célèbre gibet de
Montfaucon.
Aujourd'hui encore,
l'insolite surgit de toutes
parts autour du canal
Saint-Martin, et jusque
dans le regard débonnaire
des pêcheurs à la ligne
qui ne ressemblent pas
à de vrais pêcheurs.*

pigeons du square Saint-Julien-le-Pauvre, ceux de Malmö ou de Cincinnati avec des gravures polissonnes.

Des multiples voies et venelles qui s'en vont explorer les vieux quartiers riverains entre le pont Royal et la place Maubert il faut bien dire encore, au risque de lasser, que leur saturation historique défie le commentaire, et celui-ci ne cherchera pas à relever le défi. Toutes ces rues aspirent plus ou moins directement à escalader la montagne Sainte-Geneviève, traversant au passage une zone urbaine vouée depuis Robert le Pieux aux activités scolaires. C'est le quartier des écoles.

Tôt échappée du cloître Notre-Dame, l'Université s'est vite entichée de ce périmètre à vocation culturelle. Sous la férule de saint Bernard, fameux pourfendeur de nuées, et la protection de sainte Geneviève, les idées n'y bouillonnaient pas moins allègrement et chaudement qu'aujourd'hui. Des trétaux de la Maube au parvis de Saint-Séverin, les étudiants s'excitaient sur la querelle des Universaux avec autant de passion qu'aujourd'hui sur la mixité nécessaire des dortoirs de collège ou la péremption de la fonction magistrale. Cette belle insouciance n'empêcha pas l'école parisienne de damer le pion aux campus d'Oxford et de Bologne. Il est vrai qu'on était au siècle de Saint Louis, dans cette fameuse nuit du Moyen Age qu'illuminaient les saints Albert, Thomas et autre Bonaventure. C'est au numéro 14 de la rue Soufflot, entre les cendres de Zola et les vertugadins du Luxembourg, que ces princes de la nuit enseignaient l'ubiquité des anges et les causes de la délectation. La scolastique a cédé le pas à l'exégèse des petits livres rouges, et chacun s'accorde à dire que du haut de cette montagne se découvrent enfin d'ineffables éclaircies. Quant aux limites du Quartier, qui s'obstine on ne sait trop pourquoi à se dire latin, elles sont devenues fort imprécises et tendent à déborder de plus en plus vers les arrondissements voisins sous la pression d'innombrables étudiants assoiffés d'alpha-bétisation et de peaux d'âne libérales. Cela dit, une immémoriale tradition continue d'assurer au labeur estudiantin toutes sortes de récréations immédiates. C'est ainsi que les entrepreneurs de loisir ont équipé ce Quartier latin en une manière de Babylone qui fait courir tout Paris et sa banlieue de l'Annam et du Congo.

Mais c'est un fait qu'à Paris les lieux d'amusement se sont maintes fois déplacés. Après les jardins du Palais-Royal et les bals des Champs-Élysées, les Grands Boulevards et Montparnasse, les nuits folâtres se complaisent aujourd'hui sur le flanc de la montagne savante, sans parvenir toutefois à exorciser le cortège lancinant des évocations historiques. Entre chien et loup, on peut y surprendre encore la silhouette de Villon dans la rue Gît-le-Cœur, celle de Saint-Amant dans la cour de Rohan, un gueux d'époque sous les fenêtres d'Adrienne Lecouvreur, Cadoudal rasant les murs, une paire de mousquetaires faisant voler leur cape sur les pavés du passage Dauphine, ou même Voltaire et Léon-Paul Fargue sous les trumeaux du café Procope.

Cela dit, la patine des vieilles pierres et le charme fou des caves féodales venant à cautionner de plus en plus la promotion de la limonade et des galeries d'avant-garde, il faut craindre que tous ces chers fan-tômes, trop incompréhensifs de l'art informel et des rythmes sauvages, n'aillent bientôt prendre l'air à Sarcelles ou Parly II.

A quelques pas de là, nous touchons au spectacle un peu faisandé du carrefour Saint-Germain-des-Prés, ses terrasses littéraires, ses moleskines précieuses, lustrées par les fessiers illustres de trois Républiques. Mais depuis que Sartre a relayé Maurras aux tables du Flore, les idées ont bouclé la boucle et l'attraction des lieux sent la fatigue. Ce dut être un autre spectacle que celui de l'Aulerque Camulogène croisant le fer avec Labienus sur le parvis de Saint-Germain-des-Prés, la plus vieille église de Paris soit dit en passant, ce qui ne l'empêche pas d'être une paroisse à l'extrême pointe du progrès œcuménique. L'observation n'est pas aussi incongrue qu'il y paraît ; les circuits touristiques comprenaient naguère, en effet, au moins une séance de liturgie triomphaliste au frais des pleins cintres mérovingiens. Abstinence donc pour les *Te Deum* et les *Requiem* tridentins. Les antiquaires de la rue Jacob, en revanche, sont acheteurs plus que jamais de mobilier intégriste pour l'aménagement des castels retapés du Périgord et les fermettes de Montfort-l'Amaury.

**

Un coup d'œil en passant sur un coin de province qui fait encore illusion en dépit du voisinage oppressant des joyeux noctambules : la place Furstenberg, où pas un Parisien n'a rêvé de posséder un jour une mansarde. Le quartier tout entier suinte littéralement d'évocations classiques, ruisselle de célébrités. Dans l'étroite rue Visconti par exemple, si le carrosse dû maréchal de Saxe veut bien vous laisser passer, il nous faut encore sur quinze mètres de trottoir saluer la Champmeslé et Delacroix, George Sand, Chopin, Racine, Fontenelle et Balzac, Oscar Wilde aussi, et même Mounet-Sully dans tous ses rôles.

Passons de l'autre côté du boulevard : éditeurs en tous genres, marchands d'estampes et grands papiers numérotés, spécialité de commerce pieux en mal d'avant-garde sous les tours de Saint-Sulpice et, sous les fenêtres de Lucile Desmoulins en pleurs, laissons-nous inviter par le poète :

« Lorsque je n'entends plus le tendre accordéon
  D'Ossipe
  D'Ossipe,
  Je vais en bouquinant fumer sous l'Odéon
  Ma pipe
  Ma pipe. »

Secouons-la sur les marches du théâtre et dirigeons-nous vers le Luxembourg d'un pas de sénateur, il est de circonstance. On supposera que ces authentiques parlementaires logés aux frais de Catherine de Médicis connaissent bien leur bonheur. Si mutilé qu'il ait été par les horticulteurs de Napoléon III, cet espace vert en effet, reste l'une des plus belles leçons de jardinage classique du monde. Elle est signée Chalgrin; et la fontaine Médicis, au bout de son allée d'eau ombragée de platanes, Salomon de Brosse. C'est là que M. Bergeret aimait à venir feuilleter son manuel d'Épictète sans déranger les poissons rouges, tandis que l'abbé Lantaigne, plongé dans la lecture de son bréviaire, bousculait le chevalet de Watteau et le cerceau du petit Paul Fort. Et nous voilà derechef escaladant la montagne Sainte-Geneviève, où s'entassent toutes sortes de lauriers et reliques. La rue Soufflot nous mène tout droit aux cœurs frémissants de Gambetta et de Jean Jaurès, hôtes tardifs de cette immense église à l'antique promue à la distinction de caveau de famille. Mais le Panthéon n'est pas le seul édifice qui ait changé de culte depuis 89 et l'on sait que les concessions de cet ordre ne sont pas forcément perpétuelles. Quoi qu'il en soit, l'église Saint-Étienne-du-Mont nous propose à

Sous le ciel bleu de l'alliance franco-russe, les plus beaux lampadaires de Paris dans un style qui va disparaître après eux. D'une dizaine d'années plus jeune que la tour Eiffel, ce pont magnifique porte, comme son aînée, la marque d'une évolution dans l'histoire du goût; avec la tour, chant du cygne, l'art gothique prend fin; ici, c'est l'essoufflement des monarchies éclairées, et du président Félix Faure, si bien élevé, en un mot le Baroque; bientôt le tour du modern style, et du métro Bastille.

côté, place Sainte-Geneviève, la châsse de sa patronne qui est aussi celle de Paris, et l'on peut estimer qu'avec les restes de Pascal et de Racine enfouis sous le chœur l'ensemble fait bon poids à la nécropole des grands ancêtres. Et non loin de là passe la rue Saint-Jacques, vénérale carotide du Paris gallo-romain et point de départ parisien des pèlerins de Compostelle. Louis XIV y fêta son âge de raison en posant la première pierre du Val-de-Grâce, Mansart lui passant la truelle.

Il faut savoir qu'avec ses pentes agrestes, son bon air, ses vignobles et ses monastères, cette colline inspirée a longtemps prétendu au titre de quartier chic de Lutèce. Pas si longtemps il est vrai, puisque dès le Moyen Âge les riverains se plaignaient de ne plus pouvoir dormir, les escholiers biberonneurs du cabaret de la Pomme de Pin y faisant la vie impossible. Dès lors, l'histoire de la place de la Contrescarpe n'est plus qu'une longue suite de beuveries tour à tour eschatologiques avec Abélard, inquiètes avec Villon, licencieuses avec Rabelais, élégiaques avec la Pléiade et franchement innocentes avec les clochards, locataires jusqu'à ces derniers temps des bouches de chauffage urbain. Ce dernier intermède ayant pris fin sous le coup des lois d'hygiène et des nécessités immobilières, la place retrouve sa vocation ludique avec tendance persistante à la fausse cloche et métastases culturelles en direction de la rue Mouffetard.

De cette dernière il y avait naguère beaucoup à dire, mais le sujet s'effrite. Située sur le grand axe romain Hurepoix-Parisis dallé par les légionnaires de Labienus, la Mouffetard s'évertue à maintenir une réputation populaire et commerçante vieille de deux mille ans. Les petits passages bourrés d'artisans, le pimpant étalage des éventaires potagers, les cours insalubres, les patines de la crasse donnent encore à rêver, mais la mutation folklorique se précipite et l'on gratte fiévreusement les vieilles poutres pour le relogement des citadins épris de pittoresque. Là encore, convenons que tout est préférable à la démolition et allons prier saint Médard que les bulldozers soient occupés ailleurs.

*
**

Et nous voici aux Gobelins, quartier parisien par excellence, pour peu que le mot signifie encore quelque chose. Petites rues industrieuses minées de cours profondes, bâtiments un peu secrets où agonisent des artisanats anachroniques, parfums de très vieille province. Tout le secteur est encore marqué du lit que la Bièvre s'était fait là, entre Croulebarbe et Saint-Marcel. A l'époque où celui-ci terrassait les dragons du côté de Bercy, il faut imaginer une belle rivière à gardons, bordée de saules et de vignes. Mais les industries à vocation ripuaire ou aquatique transformèrent bientôt le décor. Tanneries, lavoirs, moulins, teintureries surtout laissaient prévoir une pollution qui inquiétait déjà les chanoines de Saint-Victor et dont la littérature symboliste et humanitaire s'empara bientôt avec gourmandise. Si bien qu'il fut décidé de recouvrir ce gentil ruisseau de pestilences et que les égoutiers eux-mêmes ne savent plus aujourd'hui dans quel collecteur il passe.

Finalement, on en suivra mieux la trace au fil des rues et des maisons. A la manufacture des Gobelins par exemple, haut lieu de la haute lice qui fit ses débuts dans le maniement délicat de la cochenille et de l'écarlate et que baignait la rivière sur tout le côté ouest. Hâtons-nous d'évoquer ici ne serait-ce que le nom de Colbert, le quartier ne nous en fournira plus l'occasion. Déjà le gratte-ciel Croulebarbe, premier de la série à Paris, élève ses vingt et un étages de béton sur le potager des ouvriers de Le Brun et de Mignard, témoignant par là que les beaux jours de cet îlot sont eux aussi comptés.

*
* *

La menace vient surtout du secteur Italie où, depuis bientôt dix ans, des escadrons de pelleteuses s'activent à niveler les coteaux de leurs pâtés insalubres et fouillent l'humus mérovingien pour édifier dans l'hygiène une cité dont nos enfants feront peut-être la chronique avec attendrissement. Le sergent Bobillot a défendu sa charmante Butte-aux-Cailles jusqu'à la dernière cartouche, mais elle va sauter d'un jour à l'autre, assurant la jonction avec les cités neuves du boulevard de la Gare et de la Glacière, lesquelles, sans vouloir préjuger l'avenir, ne paraissent pas non plus devoir faire date dans l'architecture. Il est vrai qu'en rasant du Renaissance, Colbert qui construisait du Louis XIV faisait peut-être figure de cuistre vandale.

Redescendons plutôt vers les Gobelins en passant au besoin devant les restes de ce mystérieux château de la Reine Blanche où le bal des Ardents faillit très mal finir pour le pauvre roi Charles qui n'y perdit qu'un peu plus la raison. Celle-là même que son père disait devoir toujours garder, mais à père trop sage fils un peu fol, c'est la règle. Et arpentons un peu le boulevard Saint-Marcel, car c'est le doyen des faubourgs parisiens même s'il n'y paraît plus guère. Le sous-sol est un vaste cimetière chrétien où la pioche a dégagé au cours des siècles je ne sais combien de centaines de tombes empilées sur cinq épaisseurs, dont celle de l'évêque Marcel, que l'on trouva allongé au bord de la Bièvre. Récemment encore, les employés du gaz durent exhumer deux bonnes douzaines de sarcophages de pierre pour installer leurs colonnes montantes. Cette nécropole nous conduit tout droit vers le premier grand bâtiment de la rive gauche, l'hôpital de la Salpêtrière, ancienne poudrerie comme son nom l'indique. C'est toujours le plus grand de Paris depuis que Louis XIV en fit le « refuge de tous gens sans aveux ». Signalons à cet égard que presque tous les hôpitaux de Paris actuellement en service furent construits avant la Révolution, ce qui suscitera selon les goûts l'émerveillement ou l'indignation. C'est un univers que la Salpêtrière : une ville dans la ville, dont les bâtisses austères et solennelles ont quelque chose d'évidemment admirable. La chapelle y est en proportion, elle peut contenir plus de quatre mille fidèles. Mais, depuis que Bossuet et Bourdaloue n'y tonnent plus du haut de la chaire, on s'y trouve relativement à l'aise. Chateaubriand, assez amateur de belles bâtisses, avait établi son poste d'observation à la terrasse du café de l'Arc-en-Ciel, au coin de la rue Buffon et du boulevard de l'Hôpital. Le débit prospère toujours sous la même enseigne, mais le personnel a perdu la mémoire du jeune Alphonse, qui venait déjeuner là en aimable compagnie au terme de ses promenades sentimentales dans le jardin des Plantes. Reconnaissons à sa décharge que la construction du réseau ferré Paris-Austerlitz a rendu aléatoire l'évocation de ces saucissonnages encore champêtres. Bossuet lui-même trouverait l'horizon funèbre.

*

Le jardin des Plantes, lui, n'a guère changé, à cela près bien sûr que les problèmes démographiques ne l'ont pas épargné et que, pour la rêverie solitaire, là encore il faut se lever de bonne heure. Mais il étale toujours ses vingt-huit hectares de verdure savante sous

La géographie des Tuileries est une cosmogonie à la manière de Ptolémée, qui comporte deux océans, dont un octogonal, entre l'Orangerie et le Jeu de paume, hauts massifs montagneux où ne s'aventurent guère les enfants. Le nord se dit Feuillants, et le sud Bord de l'Eau. Au large de l'avenue Paul-Déroulède, on a vu plus de naufrages qu'au cap Horn; ces flots capricieux pourraient s'alimenter exclusivement des larmes qu'ils suscitent : ce jardin est une vallée de misères enfantines. Pourtant, les petits bateaux qui ont des jambes ne demandent qu'à marcher droit, et, en toutes saisons, si l'on calcule la surface de voilure, le tirant d'eau et la force des vents, on obtient l'âge du capitaine, qui souvent tient en un chiffre.

Le Sacré-Cœur, Notre-Dame et la femme nue, parmi tout l'attirail de l'École de Paris, sont les motifs les plus rentables. Tous trois se réfèrent, d'une certaine façon, à l'ancien culte d'Isis, évidemment, c'est-à-dire de la féminité aimante et naturante. Ne nous égarons pas. Place du Tertre, on connaît son sujet au point de le peindre les yeux fermés. Au Louvre, pour celui qui entreprend la tâche délicate de copier « l'Atelier » de Courbet, il vaut mieux ouvrir l'œil; même en rajeunissant imperceptiblement le modèle, qui encourut, à sa naissance, les foudres de l'indignation publique. A Notre-Dame, le paysage est d'une composition malaisée, et les détails horriblement difficiles; sans les licences que se permet la tendance postimpressionniste, gageons qu'il y aurait moins de volontaires pour le « rendu » des friselures gothiques.

Barrant la rue Soufflot,
comme un terminus idéal,
point culminant de la
Montagne, le Panthéon,
ancienne église, était
prédestiné par sa forme,
imitée du panthéon de Rome;
sous la vaste coupole, Voltaire,
Rousseau, Émile Zola dorment
d'un éternel sommeil, qui est
celui de la gloire nationale,
en compagnie d'un certain
nombre de héros; pourtant, le
héros des héros,
Napoléon, repose sous un
autre dôme, celui des
Invalides, signé Mansart, au
cœur de l'édifice dont
Montesquieu disait déjà : c'est
le lieu le plus respectable de
la terre. L'Empereur fut
déposé dans six cercueils
emboîtés, à l'intérieur de ce
majestueux sarcophage de
porphyre, et sur un
soubassement de granit
vosgien. Autour de lui,
dans les urnes, les cœurs
des maréchaux, du moins
de ceux qui ne régnèrent pas
sur des trônes étrangers.

Porteuse de pain ou prédatrice serrant son butin, la panthère de bitume
évolue à son aise aux carrefours des pistes. A ne pas confondre avec ces
vieilles chattes domestiques traversant les Champs-Elysées. La grande
colonnade du Louvre, mademoiselle, est de Claude Perrault,
oncle paternel du Chat Botté, mais celle de l'Opéra, devant laquelle passe
une minette au pelage très clair, est de Garnier : on y enferme
les petits rats, bien à l'abri.
Devant le café de la Paix : vieux matous à l'affût.

Le marché aux fleurs et celui de la Mouffe sont des hauts lieux pour qui aime l'atmosphère de Paris : on y parle un pur langage, et les mœurs sont restées celles d'autrefois, citadines et campagnardes à la fois. Les marchandes ont souvent leur lopin de terre en grande banlieue, où elles cultivent la fleur, ou la légume. Mais gare ! on y cultive aussi bien l'invective. A gauche, la Vénus aux Hortensias, jaillie tout droit d'un tableau de Manet, n'a rien à voir avec la Dame aux camélias.

Incroyable, le nombre de gens qui préfèrent prendre les escaliers à la tour Eiffel; il est vrai que les ascenseurs, dans leur course oblique, ne sont pas faits pour les cœurs fragiles. Enfin, on n'oblige personne, et comme disait Valéry : nos dégoûts sont les goûts des autres. Le métro aérien réunit les avantages de l'altitude et du confort, et c'est bien moins cher.

Sûrement, si l'on
pouvait tout savoir
d'avance, il y a bien
des choses que l'on
n'entreprendrait pas.
Pour commencer, on
ne se marierait peut-
être jamais. Mais,
après tout, mieux
vaut le risque d'être
mené en bateau que
celui d'être laissé sur
la rive. Pour un
voyage de noces, rien
ne vaut une croisière
au bois de Boulogne,
qui est un avant-
goût de toutes les
merveilles de la terre,
qu'on ira visiter plus
tard. Quand on
commence à vieillir,
ce qui compte, c'est
d'avoir sa provision
de souvenirs, bien à
soi, pas comme ceux
qu'on tire des livres,
les histoires des autres.

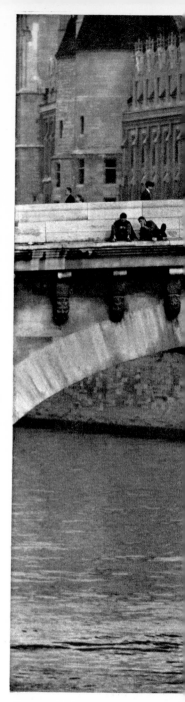

Au fil de l'eau, la Seine apparaît comme hérissée d'obstacles,
et l'on découvre vite le sens de la vieille expression
marinière : prendre la pile.
Un monde entièrement nouveau aux yeux du terrien ;
majestueux, dégagé des préoccupations quotidiennes, c'est
l'univers des poètes, des clochards, des bateliers et des hippies :
une quatrième dimension de l'espace, où n'ont accès que les
élus et les sacrifiés. La tentation, aussi, de rompre les amarres,
de suivre le flot qui passe sous les ponts, jusqu'à Suresnes,
jusqu'à la mer, et jusqu'à la mer des Sargasses...

un ciel qui décidément fait pousser n'importe quoi. Les petites fleurs du Groenland ou de l'Himalaya y lèvent comme vulgaires pivoines, et la santé apparemment florissante des animaux de la ménagerie nous confirme dans l'idée qu'il vaut mieux vivre en cage à Paris-V^e que libre au Zipangu. Voyez ainsi l'éléphant de mer et demandez-lui s'il rêve encore des Kerguelen.

Quand au cèdre du Liban que M. de Jussieu rapporta dans son chapeau, il est aujourd'hui grand comme une maison et porte ombrage à tout le labyrinthe. Celui-ci garde encore l'empreinte des pas furtifs de Marie-Antoinette et de Manon Roland, qui se croisèrent peut-être au détour des allées biscornues ; elles sont toutes bruissantes de crinolines et de baisers, et l'on imagine que M. Buffon dut faire plus d'une fois les gros yeux. De nos jours encore, pour les couples tendres amateurs d'essences exotiques, la sphère armillaire qui coiffe cette thébaïde continue de marquer l'heure du berger. Mais les jeux de dames vraiment sérieux se pratiquent en contrebas, sous les pergolas, à l'entrée de la ménagerie. S'exercent là quelques joueurs dont le talent s'élève parfois au-dessus du médiocre, ce sont les derniers à pratiquer en public et en plein air cet art éminent et français entre tous de damer le pion.

Presque tous les jardins parisiens cultivent ainsi une petite spécialité récréative qui va du croquet au Luxembourg à la philatélie dans les carrés des Champs-Élysées, en passant par la navigation miniature aux Tuileries et le cochonnet enfin, de vogue assez récente, sur le sable romain des arènes de Lutèce. Signalons pour la sanctification des lieux, que quelques historiens sérieux, confirmés par le témoignage des habitants du quartier et bon nombre de capitulaires privés, soutiennent que saint Denis a bien subi son supplice dans

Le grand pèlerinage de la porte de Clignancourt, en fin de semaine. Les quartiers réservés du Marché aux Puces portent des noms sonores : Biron, Malik, ou Vernaison. Il est notoire que les Rembrandt et les Michel-Ange y pullulent, sous des tas de chiffons. A vous de les dénicher. Moins dissimulés sont les articles ménagers à peine hors d'usage, et qui font le bonheur des jeunes ménages modestes en période d'installation. On traite ici de si bonnes affaires que de vastes immeubles se sont élevés à proximité immédiate, afin d'éviter aux acheteurs les faux frais de transport.

ces proches arènes et non pas sur les pentes de la butte Montmartre.

*
**

Le paysage urbain a subi par ici quelques modifications notables, consécutives à la construction de deux facultés nouvelles, Lettres et Sciences. Celle-ci sur le périmètre rasé des halles aux vins et celle-là sur l'emplacement des halles aux cuirs, mais il ne faut pas forcément en conclure une préméditation visant à conversion pédagogique de toutes nos halles. N'empêche que les pavillons de Baltard ont été escamotés à leur tour pour faire place à quelque vaste complexe socio-éducatif.

Mais les habitants du quartier, et non des plus vieux, ont encore dans l'œil le décor de ces anciennes halles aux vins, avec leurs ateliers de tonnellerie et le moutonnement de leurs pavillons aux armes de tous les vignobles de France et de Bourgogne. Et dans les narines les suaves odeurs d'aramon flottant autour de la place Jussieu et dévalant la rue Linné, pour aller s'évanouir vers le square Scipion dans les fragrances capiteuses des peaux en tannage. Il n'en faut pas moins pour oublier les nouveaux bâtiments, le columbarium affligeant du restaurant universitaire des Lettres, tout noir devant la mosquée blanche, et la Babel des Sciences qui masque les tours de Notre-Dame, sans le faire exprès bien sûr.

*
**

Cela dit, l'Université ne fait ici que rejoindre ses anciennes frontières de la place Maubert. L'îlot doit son nom à une contraction hardie de Maître Albert, qui y tint école. La place n'était pas trop vaste alors pour contenir les foules à qui le saint docteur expliquait la physique d'Aristote. Par la suite, l'endroit acquit une réputation de mauvais lieu, sillonné de sentiers étroits et bourbeux où Érasme en pestant se crotta plus d'une fois les chausses et dont l'indic Restif de La Bretonne nous a laissé quelques belles images. Jusqu'à ces dernières années enfin, c'était le royaume de la cloche industrieuse, spécialisée dans le ramassage des mégots et l'un des grands centres parisiens du triage des vieux papiers.

Mais, si les vieux quartiers ont une âme, il faut bien reconnaître qu'elle tient plus à la pierre qu'à leurs habitants. Ce n'est pas la première fois que la Maubert change de clientèle, et celle qui s'installe en ce moment même en d'adorables duplex à prix d'or déborde peut-être de bonnes intentions. Gratté, balayé, restauré, pas si mal que cela d'ailleurs, le quartier reste encore bien attachant et se tient disposé à tous les pittoresques de bon aloi. On en vient facilement d'ailleurs à préférer cette Maubert de luxe aux abords faisandés de l'église Saint-Séverin, de l'autre côté de la rue Saint-Jacques, où cinémas et couscous exploitent à gogo le pactole estudiantin sous l'œil goguenard d'une vieille population orientale présumée admirative. Si vous n'allez pas jusque-là, arrêtez-vous au moins à mi-chemin devant Saint-Julien-le-Pauvre, parfait modèle de ces petites églises d'Ile-de-France, avec ses murs mangés de lierre et son jardinet ombragé de tilleuls et d'acacias provisoirement réchappé d'un projet de parking souterrain.

Le pittoresque de Montparnasse est beaucoup plus jeune, mais déjà près de s'évanouir dans la brume des chantiers voisins. L'ancienne gare a disparu avec son quartier de jardinets et d'impasses. On y a vu surgir le Manhattan de la rive gauche ; huit hectares bâtis et trois cent mille mètres carrés de bureaux empilés dans une tour de deux cents mètres de haut. C'est le grand œuvre de l'urbanisme parisien, les spécialistes nous en ont parlé pendant dix ans comme de quelque ouvrage prophétique et destiné au moins à faire date.

Les fantômes de Montparnasse ont intérêt à s'accrocher au carrefour Vavin, s'ils ne veulent pas disparaître dans les bétonneuses gourmandes d'atmosphère et d'histoire. Mais le mot histoire est ici un peu fort. Disons que le bouillonnant Montparnasse de l'entre-deux-guerres a su marquer son époque ; on y a réinventé la peinture et précisé de façon durable la notion d'artiste un peu floue jusque-là. On y vient encore de Suède ou de l'Ohio pour découvrir aux terrasses des cafés et brasseries célèbres quelques bribes de cette ancienne fièvre qui fit éclore tant de noms plus ou moins célèbres et de réputations plus ou moins excentriques. Se produisirent là, en effet, autant de fausses gloires très officielles que de vrais talents confirmés. Concluons simplement que tout ce joli monde a dû bien s'amuser.

En revanche, on s'est toujours beaucoup moins amusé aux alentours de l'Observatoire, conservateur un peu solennel du quatrième top étalon. Les poètes symbolistes qui faisaient cantine sous les frondaisons de la Closerie des Lilas n'étaient pas tous des rigolards, et, pour ce qui est de l'abbaye de Port-Royal, son architecture janséniste, presque intacte, n'encourage pas aux frivolités du monde. Les pensionnaires de la Santé méditent aussi à leur façon les injustices de la prédestination et les grandeurs de la clôture, mais pas pour longtemps, car le vieux complexe carcéral doit être rasé et, comme Port-Royal, ils iront aux champs dans les prisons modèles et sans barreaux.

Pour montrer qu'il en existe encore, la municipalité réserve des enclos de rêve et de végétation, au cœur de la ville.
Un jardin sur la Seine, un «square», comme on dit, c'est-à-dire un carré où s'inscrit une pelouse ronde, image du paradis perdu.
A la grille, l'ange gardien et son glaive de feu ont revêtu la forme administrativement convenable du vétéran et du réverbère.
Les jardins des grandes villes sont des plaisirs bien tempérés, à l'usage des enfants sages, des clochards méticuleux et des amoureux chastes.
Pour les aspirations incontrôlables, au cas où ça vous prendrait, le fleuve est là, tout grand, et les vaisseaux dorment, demain peut-être bateaux ivres ?

La tour Eiffel est une ultime manifestation de l'architecture gothique flamboyante.
Ce caractère de perfection médiévale est mis en évidence jusqu'à l'absurde par toutes ses composantes.
Tardif, comme tel il s'oppose au gothique angevin, et s'affirme bourguignon, germanique; plus près de Cologne que de Milan, et, dans la rythmique de ses croisillons, la tour évoque les plus belles vierges de la statuaire rhénane.
Apollinaire l'appela bergère...
Jean Cocteau, demoiselle du télégraphe.
Les peintres naïfs, eux aussi surgis du Moyen Age, raffolent d'elle.
L'arabesque d'un arbre souligne les oppositions de caractères, aussi précisément que des échantillons dans un musée, de signes runiques et de versets coufiques.

Quelques pas s'il vous plaît dans les allées du cimetière Montparnasse, c'est un espace vert jonché de sépultures littéraires, politiques et industrielles. Il n'est pas vain d'aller se recueillir devant l'extravagant mausolée de M. Pigeon, inventeur d'une lampe de conception hardie et d'usage économique à qui des générations de Français sont redevables d'une certaine lumière en voie de disparition. Mais ce sont là morts assez jeunes, et six millions d'anonymes vous attendent au fond des catacombes si le cœur vous en dit. Vous aurez peut-être la chance de visiter les lieux en plein jugement dernier : six mille mètres cubes d'ossements entassés se réincarnant sous vos yeux dans l'instant, le spectacle est à ne pas manquer.

Ce n'est sans doute pas une coïncidence si ce séjour des morts est couronné en surface par la barrière d'Enfer, un pavillon de Ledoux qui vous montrera comment se concevait l'architecture d'avant-garde sous Louis XVI. Il n'y a pas si longtemps, on était ici à la campagne, comme en témoigne encore la dernière borne kilométrique de la capitale, oubliée sur le trottoir de l'avenue du Général-Leclerc, et les nombreuses maisonnettes à jardin, dont se rafraîchit le quartier Daguerre jusqu'à Plaisance la bien-nommée.

Mais le temps presse, il nous faut descendre maintenant le boulevard Raspail, artère majeure de la rive gauche qui nous conduit tout droit vers le faubourg Saint-Germain. C'est peu dire que nous traversons ici un beau quartier. Presque toutes les grandes familles du royaume nous y ont laissé leur hôtel, dont une bonne centaine construits en vingt-cinq ans au début du XVIIIe siècle. Tout autant que le Marais, le noble faubourg décourage l'inventaire. Cela tombe bien d'ailleurs, car on ne visite pas ces petits palais affectés aux ambassades et aux ministères. Les ministres un peu endurants qui sont parvenus au cours de leur carrière à connaître les plus beaux concluent généralement qu'il fait bon vivre républicain sous le toit des aristocrates. Tous ces locataires très officiels et bien gardés confèrent au quartier une sorte de quiétude un peu compassée mais qui garde grand air dans tous les sens du terme.

Et voici le coup de génie, le monument majuscule, nous l'avions gardé pour la bonne bouche. Que les Invalides soient la mieux achevée et la plus intelligente réussite architecturale du monde, voilà qui saute aux yeux dès le pont Alexandre-III et ne souffre point discussion. Mais, pour peu qu'on en finisse jamais d'admirer l'incomparable majesté de ce pied-à-terre offert à tous les braves éclopés au service du royaume, le courage peut venir à manquer de poursuivre la visite. Personne ne nous ferait grief de conclure sur ce morceau de roi; mais, puisqu'il nous reste encore un peu de place, survolons rapidement comme tout à l'heure ces ultimes quartiers de Paris qui s'étendent au sud et à l'ouest.

École militaire : une caserne trois étoiles signée Gabriel; elle ne dépare pas les Invalides, mais les partisans de la table rase trouvent qu'elle fait une concurrence déloyale au palais de l'Unesco, à son mobile, ses graffiti avant-gardistes et sa vocation pédagogique. La paix par les armes d'un côté, et de l'autre par la promotion culturelle. C'est ici, assure-t-on, que le béton de décoffrage fut promu matériau noble, mais on ignore le nombre de ses quartiers. Perspectives admirables sur le dôme de Mansart.

Gros-Caillou : le terrain maraîcher où s'installèrent les artisans des Invalides, rues populeuses et commerçantes traversées d'avenues profondes et cossues.

Champ-de-Mars : ancien terrain militaire, comme son nom l'indique ; la tour Eiffel n'était pas prévue dans les plans de Gabriel, mais on s'y fait très bien ; limite extrême des beaux quartiers de la rive gauche, un pas de plus et nous sommes dans le XVe, les cours immobiliers s'effondrent et le standing en prend un coup. Toute l'habileté consiste à ne pas traverser le boulevard de Grenelle.

Vaugirard : une petite résonance primesautière et champêtre ; on y respire encore le faubourg parisien ; beaucoup moins riant à l'usage : institut Pasteur, objets trouvés, hôpitaux.

Javel : on y fabriquait déjà la célèbre eau chlorée sous Louis XVI ; usine d'automobiles ; sous le pont Mirabeau, coule la Seine.

Voilà. Pour finir en grandeur, nous ferons un tour d'horizon, au sens propre. Avec une admiration mêlée d'effroi nous contemplerons les débordements, excroissances et autres phénomènes d'une fébrilité immobilière dont la nécessité nous est garantie par les prophètes et les ordinateurs. On voit surgir et s'animer un peu partout, dans le fin brouillard des gravats pulvérulents et du béton qui sèche, de sveltes grues dévorant leurs proies et besognant aux abris cellulaires de leur progéniture. Des parallélépipèdes pâles s'érigent à vue d'œil dans un ordre abscons, et des édifices tourmentés, apparemment inintelligibles, se démoulent au soleil pour les intérêts supérieurs de la recherche en soi ou la publicité d'une architecture en mal de libération. Jusqu'au plus loin de la périphérie, on voit s'élever des donjons carrés dans les vestiges d'une verdure qui se meurt. On dirait que Paris se bâtit en hâte une cinquième enceinte fortifiée, camp retranché, tours de guet et bastion avancé pour contenir l'invasion démographique.

Tout cela, bien sûr, ne manque pas d'une espèce de grandeur, au moins spatiale. Dans les prestiges associés de la nuit et de l'éclairage électrique, le plus fervent zélateur de l'intimisme aux chandelles et à trois étages avouera peut-être que le spectacle est assez fantastique pour être captivant. Il se demandera seulement pourquoi Paris serait toujours Paris s'il lui faut renaître comme Brasilia. Il entendra dire alors que l'extravagance qui le fait maronner fera l'ordinaire agrément de ses petits-neveux. Mais il pourra toujours répondre que ce n'est pas un argument.

La visite est terminée, oubliez le guide, lui-même ayant pu vous oublier en route, sinon vous perdre. L'allure était bien rapide, en effet, et le parcours zigzagant avec étapes arbitraires, complaisances de détail et points de vues escamotés. Ce sont les caprices de l'amour, puisqu'il s'agit du *Paris que j'aime,* proposition affirmative qui semblerait indiquer d'ailleurs un Paris que je n'aime pas, que j'aime moins ou que je n'aime plus. Mais le guide a cru décent de ne pas s'appesantir sur ces implications moroses. Que l'amour l'emporte donc, au risque d'égarer le lecteur! Mais, si, par chance, vous rencontrez un Parisien, il vous remettra dans le bon chemin dans un langage spécial, comme si vous étiez le plus charmant crétin du monde et un peu dur d'oreille. Il y ajoutera une description gesticulaire avec un bras traçant dans l'espace comme les figures d'un ballet topographique pour acrobates, et il terminera son office en déclarant « y a pas à s'tromper ». Mais peut-être là encore évoquons-nous un trait de caractère archétypique en voie de disparition.

Jean-Louis Perret.

Derniers survivants du règne de Napoléon III, les grands trembles décharnés de la berge Saint-Gervais sont des appels venus d'un passé qu'ils n'ont pourtant pas connu : Vidocq, qui tint une agence rue du Pont-Louis-Philippe, juste derrière eux, était mort lorsqu'ils furent plantés. Cette rive où passe la voie expresse des vacanciers soucieux de ne pas manquer le train à la gare de Lyon, fut longtemps un grand port fluvial, où les Templiers eurent leurs entrepôts, où des moulins, dans le battement de leurs roues dégoulinantes, broyaient le grain aux boulangers de Paris.

144

L'autorité spirituelle et le pouvoir temporel font bon ménage, comme de juste, à Paris; si la
Madeleine représente le goupillon, les Invalides sont le sabre. L'Institut, produit d'un croisement
de prélature et de ministère, est le phénix de l'immortalité nourrie de quarante vacillantes flammes.

*Les mamelles expiatoires
de sa basilique pointées
vers l'orage, Montmartre,
c'est-à-dire Paris, se tasse
sous un ciel mouvant et
fuyard comme les siècles.
Passent les vents de la
guerre et ceux de la
prospérité, les courants
de l'Histoire et de la
mode; la mémoire
collective des villes leur
donne une infinie
sérénité, une prescience
de l'avenir, et même
une sorte d'indifférence
réservée, qu'on pourrait
croire de la cruauté, à
l'égard des agitations
vaines et des regrets :
ce sont là sentiments
qu'elle regarde pour
villageois. Jusque dans
sa silhouette, que n'ont
pas épargnée les ans, la
Capitale garde, sans
coquetterie, une
indéflectible jeunesse de
grande dame immuable.*

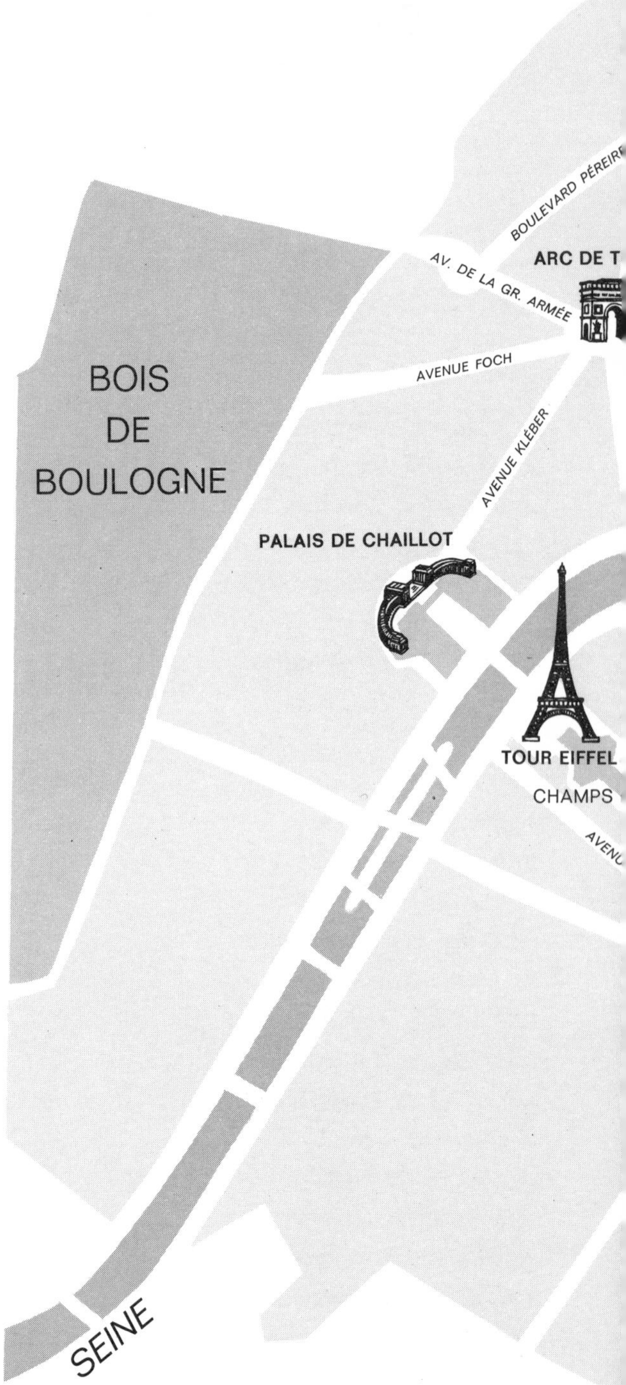

BOULEVARD PÉREIRE

AV. DE LA GR. ARMÉE

ARC DE T

BOIS
DE
BOULOGNE

AVENUE FOCH

AVENUE KLÉBER

PALAIS DE CHAILLOT

TOUR EIFFEL

CHAMPS

AVENU

SEINE

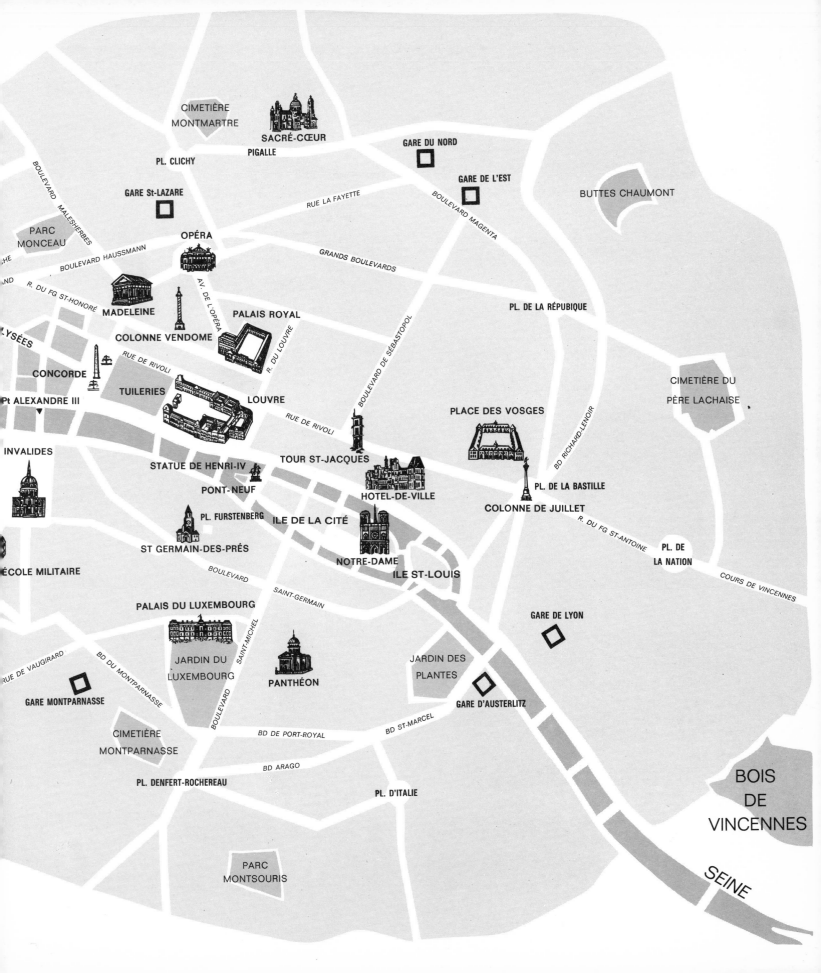

LES GRANDES HEURES DE PARIS
relevées par Yvan Christ

53 avant J.-C.

César choisit la *Lutèce des Parisiens* comme siège de l'assemblée des peuples gaulois.

52 avant J.-C.

Première bataille de Paris : LABIENUS, lieutenant de CÉSAR, est vainqueur de l'armée gauloise que commande CAMULOGÈNE.

Iᵉʳ et IIᵉ siècle

Une ville gallo-romaine se construit sur la montagne Sainte-Geneviève et dans l'île de la Cité.

2ᵉ moitié du IIᵉ siècle

Construction du « palais des Thermes » de Cluny (collège des Nautes, ou mariniers parisiens ?)

IIIᵉ siècle

Martyre de SAINT DENIS, évangélisateur et premier évêque de Paris.

2ᵉ moitié du IIIᵉ siècle

Des invasions germaniques détruisent le quartier romain de la rive gauche.

360

Dans le palais romain de la Cité, JULIEN L'APOSTAT est proclamé empereur par son armée.

451

Lors de l'invasion d'ATTILA, SAINTE GENEVIÈVE empêche un exode massif des Parisiens.

Début du VIᵉ siècle

Textes relatifs à Saint-Étienne-de-la-Cité, première cathédrale de Paris, ancêtre de Notre-Dame.

507

Fondation par CLOVIS de l'abbaye Saint-Pierre et Saint-Paul (ou Sainte-Geneviève).

508

CLOVIS fait de Paris le siège de son royaume.

vers 542

Fondation par CHILDEBERT Iᵉʳ de l'abbaye Saint-Vincent-et-Sainte-Croix (ou Saint-Germain-des-Prés).

vers 586

Vaste incendie de Paris. Les Mérovingiens puis les Carolingiens abandonnent la ville au profit d'Aix-la-Chapelle.

885

Les Normands font le siège de la ville, que défendent l'évêque GOZLIN et EUDES, comte de Paris (ancêtre des Capétiens), qui est proclamé roi en 887.

987

Avènement de HUGUES CAPET. Paris redevient capitale du royaume.

990-1014

Construction du clocher de Saint-Germain-des-Prés.

Début du XIIᵉ siècle

GUILLAUME DE CHAMPEAUX et ABÉLARD professent aux écoles du cloître Notre-Dame.

1121

LOUIS VI confirme le monopole des *marchands de l'eau parisiens*.

vers 1140

Construction du chœur de Saint-Martin-des-Champs.

1147

Le pape EUGÈNE III, entouré de SAINT BERNARD et de PIERRE LE VÉNÉRABLE, consacre Saint-Pierre de Montmartre.

1163

L'évêque MAURICE DE SULLY commence la construction de Notre-Dame.
Le pape INNOCENT III consacre Saint-Germain-des-Prés.

1183

PHILIPPE AUGUSTE fait construire les Halles à l'emplacement du marché des Champeaux créé sous LOUIS VII.

1190-1210

Il entoure Paris d'une nouvelle enceinte dont le Louvre est, à l'ouest, l'élément avancé.

1200

Il jette les bases de l'Université.

1214

FERRAND, comte de Flandre, vaincu à Bouvines par PHILIPPE AUGUSTE, est enfermé dans le donjon du Louvre.

Iᵉʳ quart du XIIIᵉ siècle

PERROTIN-LE-GRAND, maître de chapelle de Notre-Dame, compose les premiers motets polyphoniques.

vers 1245-1250

Achèvement de Notre-Dame.

1246-1248

SAINT LOUIS fait construire (par PIERRE DE MONTREUIL ?) la Sainte-Chapelle du palais royal de la Cité.

1256

SAINT THOMAS D'AQUIN compose, au couvent des dominicains de la rue Saint-Jacques, sa « Somme théologique ».
ROBERT DE SORBON fonde le collège de Sorbonne.

1268

ÉTIENNE BOILEAU, prévôt des marchands, publie « Le Livre des Métiers », recueil des règlements du commerce et de l'artisanat.

fin du XIII° siècle, début du XIV° siècle
Reconstruction du palais royal de la Cité et de sa Concier-gerie.

1308-1312
PHILIPPE LE BEL intente un procès aux Templiers, dont les biens sont confisqués.

1358
Première révolution de Paris : ETIENNE MARCEL, prévôt des marchands, instaure un régime de terreur et de trahison. Il est assassiné par JEAN MAILLARD.

1360-1370
CHARLES V fait agrandir et restaurer le Louvre, où sera no-tamment installée la bibliothèque du Roi.

1367
HUGUES AUBRIOT, prévôt des marchands, commence la cons-truction d'une nouvelle enceinte dont la Bastille est, à l'est, l'élément avancé.

1378
CHARLES V reçoit l'empereur germanique CHARLES IV.

1382
Révolte des Maillotins : massacre de collecteurs d'impôts et d'usuriers juifs ; délivrance de prisonniers pour dettes.

1393
A l'hôtel Saint-Pol, au cours du « Bal des Ardents », CHARLES VI échappe à un incendie qui fait de nombreuses victimes dans l'entourage du roi.

1407
Assassinat du duc D'ORLÉANS. Paris est aux mains du parti bourguignon.

1413
La corporation des bouchers, animée par CABOCHE, édicte des ordonnances démagogiques.

1420
I er décembre : HENRI V, roi d'Angleterre et héritier du trône de France en vertu du traité de Troyes, fait son entrée à Paris, dès lors occupé par l'ennemi.

1429
8 septembre : tentant de délivrer Paris, JEANNE D'ARC est blessée devant la porte Saint-Honoré.

1430
16 décembre : HENRI VI, roi de France et d'Angleterre, est sacré à Notre-Dame.

1435-1439
Construction du porche de Saint-Germain-l'Auxerrois.

1436
15 août : Paris est libéré de l'occupation anglaise.

1437
CHARLES VII fait son entrée à Paris.

1455
7 novembre : première audience solennelle du procès de réhabilitation de JEANNE DfARC à Notre-Dame.

1464
La « Farce de Maître Pathelin » est interprétée par la troupe de MAÎTRE MOUCHE.

1470
GERING, FREIBURGER et CREUTZ, disciples de GUTENBERG, établissent l'imprimerie au collège de Sorbonne.

1474-1519
Construction de l'hôtel des archevêques de Sens.

1485-1498
Construction de l'hôtel des abbés de Cluny.

1492
Commencement de la construction de Saint-Etienne-du-Mont.

1495
Achèvement de Saint-Séverin.

1508-1522
Construction du clocher de Saint-Jacques-la-Boucherie (la tour Saint-Jacques).

1532
Fondation du collège de France par FRANÇOIS I er.
Pose de la première pierre de Saint-Eustache.

1533
Pose de la première pierre de l'Hôtel de Ville, construit par LE BOCCADOR.

1540
CHARLES QUINT est reçu par FRANÇOIS I er au Louvre.

1546
FRANÇOIS I er charge PIERRE LESCOT de la reconstruction du Louvre.

1549
JEAN GOUJON décore la fontaine des Innocents.

1557
Le premier consistoire réformé de Paris est fondé par JEAN LE MAÇON.

1559
Noces de FRANÇOIS II et MARIE STUART au Louvre.

1564
CATHERINE DE MÉDICIS charge PHILIBERT DE L'ORME de la construction des Tuileries.

1572
24 août : massacre de la Saint-Barthélemy.

1578

HENRI III pose la première pierre du Pont-Neuf, qui sera terminé sous HENRI IV.

1588

12 mai : La Sainte-Ligue organise la «journée des Barricades». HENRI III quitte Paris pour Saint-Cloud. Il y sera assassiné l'année suivante.

1594

22 mars : entrée de HENRI IV à Paris. « Te Deum » à Notre-Dame.

1595-1610

Construction de la Grande Galerie du Louvre par LOUIS MÉTEZEAU et JACQUES II ANDROUET DU CERCEAU.

1605

Construction de la place Royale (plus tard place des Vosges).

1607-1612

L'hôpital Saint-Louis, fondé par HENRI IV, est construit par CLAUDE VILLEFAUX, sur les dessins de CLAUDE CHASTILLON.

1610

14 mai : assassinat de HENRI IV par RAVAILLAC, rue de la Ferronnerie.

1614

L'entrepreneur CHRISTOPHE MARIE est chargé de la construction et de l'aménagement de l'île Saint-Louis.

1615-1625

SALOMON DE BROSSE construit le palais du Luxembourg pour MARIE DE MÉDICIS.

1626

RICHELIEU charge LE MERCIER de la reconstruction de la Sorbonne.

1627

Le P. DERRAND commence la construction de l'église des Jésuites (Saint-Paul-Saint-Louis).

1628

La marquise de RAMBOUILLET reçoit dans son « Salon » l'élite de la société et de la littérature.

1631

THÉOPHRASTE RENAUDOT publie le premier numéro de « La Gazette ».

1634

RICHELIEU fonde l'Académie française.

1636

Première représentation du « CID » de CORNEILLE au théâtre du Marais, rue Vieille-du-Temple.

1643

MOLIÈRE fonde « l'Illustre Théâtre », rue de Seine.

1645

LOUIS XIV pose la première pierre du Val-de-Grâce, construit par FRANÇOIS MANSART.

1648

Création de l'Académie de peinture et de sculpture dont LE BRUN sera l'animateur.

1648-1652

La Fronde.

1661

MOLIÈRE installe son théâtre dans la salle du Palais-Royal. MAZARIN fonde le Collège des Quatre Nations (l'Institut), construit par LE VAU.

1662

Les premières voitures de transport en commun, imaginées par PASCAL, sont mises en circulation, pour quelques années seulement.
Un carrousel fastueux, conduit par LOUIS XIV, se tient entre le Louvre et les Tuileries, à l'occasion de la naissance du grand Dauphin.
Fondation de la manufacture des Gobelins.
CHARLES LE BRUN commence la décoration de la galerie d'Apollon, au Louvre.

1664

LE VAU et D'ORBAY sont chargés de réaménager le château des Tuileries. LE NÔTRE dessine le jardin, crée l'avenue des Champs-Elysées et amorce la place de l'Etoile.

1667

Création de la charge de lieutenant de police.

1667-1670

Construction de la colonnade du Louvre par PERRAULT, LE VAU et LE BRUN.

1669

LOUIS XIV fonde l'Opéra.

1670

LOUIS XIV fonde l'hôtel des Invalides, construit par LIBÉRAL BRUANT.

1673

Mort de MOLIÈRE à l'issue de la quatrième représentation du « Malade imaginaire ».

1677

Première représentation de « Phèdre », de RACINE, à l'hôtel de Bourgogne, rue Mauconseil.

1679

JULES HARDOUIN-MANSART commence la construction du dôme des Invalides.

1680

LOUIS XIV fonde la Comédie-Française.

1682

LOUIS XIV s'installe définitivement à Versailles.

1685

Pose de la première pierre du Pont-Royal construit par JULES HARDOUIN-MANSART et JACQUES IV GABRIEL.

1687

BOSSUET prononce à Notre-Dame l'oraison funèbre du GRAND CONDÉ.

1699

JULES HARDOUIN-MANSART construit la place Vendôme.
La première exposition annuelle de l'Académie de peinture et de sculpture (le futur « Salon ») se tient dans la Grande Galerie du Louvre.

1705-1709

DELAMAR construit le palais Soubise (Archives nationales).

1719-1720

Le système de LAW ébranle les finances de Paris et de la France.

1721

COURTONNE construit l'hôtel Matignon.

1732

Le cimetière Saint-Médard, théâtre de l'agitation janséniste des « Convulsionnaires », est fermé.

1733-1745

SERVANDONI élève la façade de Saint-Sulpice.

1751

Publication du premier volume de l'Encyclopédie.

1752-1757

J.-A. GABRIEL construit l'Ecole militaire.

1754

J.-A. GABRIEL construit la place Louis XV (la Concorde).

1757

Place de Grève, supplice de DAMIENS, auteur d'un attentat sur LOUIS XV.

1762

Le Parlement décrète ROUSSEAU de prise de corps après la publication de l'« Emile ».

1764

CONTANT D'IVRY commence la construction de l'église de la Madeleine.
LOUIS XV pose la première pierre de l'église Sainte-Geneviève (le Panthéon), construite par SOUFFLOT.

1770

Sur la place Louis-XV, 132 personnes meurent écrasées lors des fêtes du mariage du DAUPHIN et de MARIE-ANTOINETTE.

1778

« Apothéose » de VOLTAIRE, à la Comédie-Française alors installée aux Tuileries.

1783

Au Champ-de-Mars, ascension d'une montgolfière.

1784

VICTOR LOUIS achève la construction des galeries du Palais-Royal.

1785

LEDOUX commence d'édifier les pavillons de l'enceinte des Fermiers-Généraux.

1789

14 juillet : prise de la Bastille.
6 octobre : retour du roi à Paris.

1790

14 juillet : fête de la Fédération.

1792

10 août : insurrection de Paris et prise des Tuileries.

1793

21 janvier : exécution de LOUIS XVI.
Ouverture de la Grande Galerie du Louvre transformée en « Muséum ».

1794

9 thermidor : chute de ROBESPIERRE.

1797

Destruction de l'église Saint-Jacques-la-Boucherie.

1800

BONAPARTE, Premier consul, s'installe aux Tuileries.

1801

Un arrêté consulaire décide la création de la rue de Rivoli, œuvre de PERCIER et FONTAINE.

1803

Inauguration du pont des Arts.

1804

NAPOLÉON Ier est sacré à Notre-Dame par PIE VII.

1805

Destruction de la tour du Temple.

1805-1807

DAVID peint « le Sacre de Napoléon ».

1806

CHALGRIN commence l'arc de triomphe de l'Etoile.
PERCIER et FONTAINE construisent l'arc de triomphe du Carrousel.

1806-1810

Erection de la colonne Vendôme.

1814-1815

Les Alliés entrent à Paris. Restauration de LOUIS XVIII. Les Cent-Jours. Seconde Restauration.

1815

Publication du premier recueil de chansons de BÉRANGER.

1820

Baptême du duc DE BORDEAUX à Notre-Dame.

1823-1826

HIPPOLYTE LE BAS construit Notre-Dame-de-Lorette.

1830

Révolution de Juillet. Abdication de CHARLES X. Avènement de LOUIS-PHILIPPE Ier.
« Bataille d'Hernani » à la Comédie-Française.
Première audition de la « Symphonie fantastique » de BERLIOZ.

1834

Emeutes rue Transnonain.

1835

Inauguration du chemin de fer Paris-Saint-Germain.
BALZAC publie « le Père Goriot ».

1836

Réaménagement de la place de la Concorde par HITTORF et érection de l'obélisque de LOUQSOR.
Inauguration de l'arc de triomphe de l'Etoile.

1839

A l'Académie des sciences ARAGO divulgue le daguerréotype.

1840

15 décembre : retour des cendres de Napoléon.
Inauguration de la colonne de Juillet, construite par ALAVOINE.

1842

Achèvement de l'église de la Madeleine.

1845

Début de la restauration de Notre-Dame par LASSUS, puis VIOLLET-LE-DUC.

1848

22-24 février : révolution, et abdication de LOUIS-PHILIPPE.
Proclamation de la Seconde République.
23-26 juin : insurrection ouvrière.

1851

2 décembre : coup d'état de LOUIS-NAPOLÉON BONAPARTE.

1852

Rétablissement de l'Empire.

1852-1857

Achèvement du Louvre par VISCONTI et LEFUEL.

1852-1858

Le bois de Boulogne, cédé à la ville, est réaménagé par ALPHAND.

1853

HAUSSMANN devient préfet de la Seine et, avec NAPOLÉON III, prépare les nouveaux percements de Paris.

1854

Inauguration de l'avenue de l'Impératrice (avenue Foch).
Un décret décide l'achèvement de la place de l'Etoile, dont les hôtels seront construits par HITTORF.

1854-1866

BALTARD construit les Halles.

1855

Première Exposition universelle.
Création de la Compagnie générale des omnibus.
VIEL construit, aux Champs-Elysées, le palais de l'Industrie.

1861

DELACROIX achève, à Saint-Sulpice, la décoration de la chapelle des Saints-Anges.

1861-1875

CHARLES GARNIER construit l'Opéra.

1863

MANET expose « le Déjeuner sur l'herbe ».

1867

Exposition universelle.
Inauguration du parc des Buttes-Chaumont, créé par ALPHAND.

1868

GILBERT reconstruit l'Hôtel-Dieu dans la Cité à peu près complètement rasée.

1870

4 septembre : proclamation de la IIIe République à l'Hôtel de Ville.
19 septembre-28 janvier : siège de Paris. Les Allemands occupent la capitale pour trois jours.

1871

18 mars-28 mai : la Commune.
Incendie des Tuileries, de l'Hôtel de Ville, du Palais de Justice et du Palais-Royal. La colonne Vendôme est renversée.
Début de la publication des « Rougon-Macquart » de ZOLA.

1874

Première exposition du groupe impressionniste. VERLAINE publie « Romances sans paroles ».

1874-1882

Reconstruction de l'Hôtel de Ville par BALLU et DEPERTHES.

1875

ABADIE commence la construction de la basilique du Sacré-Cœur.

1877

RENOIR expose « le Moulin de la Galette ».
Achèvement du parc Montsouris.
DAVIOUD construit le palais du Trocadéro.

1878

Exposition universelle.

1885

Obsèques de VICTOR HUGO.

1886

Arrivée de VAN GOGH à Paris.

1889

Exposition universelle.
Le boulangisme.
Construction de la tour Eiffel.
TOULOUSE-LAUTREC réalise les décorations de « la Baraque de la Goulue ».

1890

A l'Académie des sciences, BRANLY communique les premiers résultats de ses recherches sur la télégraphie sans fil.

1891

La première course automobile se déroule de Paris à Brest.

1894

Condamnation du capitaine DREYFUS. Début de « l'Affaire ».
ANATOLE FRANCE publie « le Lys rouge ».
BARRÈS publie « Du Sang, de la volupté et de la mort ».

1895

Première séance du cinématographe LUMIÈRE au sous-sol du Grand-Café.

1896

NICOLAS II, empereur de Russie, pose la première pierre du pont Alexandre-III, œuvre de l'ingénieur RÉSAL.

1897

GIDE publie « les Nourritures terrestres ». GUIMARD construit le « Castel Béranger » : naissance du « modern style ».

1898

Premier Salon de l'automobile.

1899

Création du Métropolitain.
PIERRE CURIE découvre le radium.

1900

Exposition universelle.
DEGLANE construit le Grand Palais et GIRAULT le Petit Palais.
Arrivée de PICASSO à Paris.

1903

Voyage d'EDOUARD VII à Paris. Renaissance de l'Entente cordiale.

1905

Le fauvisme (MATISSE, MARQUET, DERAIN, VLAMINCK) au Salon d'automne.

1910

La Seine en crue inonde les bas quartiers.

1911

Le cubisme (BRAQUE, PICASSO, LÉGER, VILLON) au Salon d'automne.

1911-1913

Les frères PERRET construisent le théâtre des Champs-Elysées que décorent BOURDELLE et MAURICE DENIS.

1913

Montparnasse et l' « école de Paris » (CHAGALL, MODIGLIANI, PASCIN, KISLING, SOUTINE).

1914

1er août : assassinat de JAURÈS.
L'Etat concède l'hôtel Biron à RODIN.

1919

Défilé de la Victoire sur les Champs-Elysées. Inhumation du Soldat inconnu sous l'arc de triomphe de l'Etoile.

1923

Début de la construction de la Cité universitaire.

1924

Le dadaïsme donne naissance au surréalisme (ANDRÉ BRETON, PHILIPPE SOUPAULT).

1925

Première exposition surréaliste (CHIRICO, ERNST, MIRO, KLEE, PICASSO, MAN RAY).

1930-1932

LE CORBUSIER construit le pavillon suisse de la Cité universitaire.

1931

Exposition coloniale.

1932

Assassinat du président DOUMER.

1934

Emeutes de février.

1937

Exposition des Arts et Techniques.
CARLU construit le palais et le théâtre de Chaillot.

1940

14 juin : occupation de Paris par les Allemands.

1944

26 août : libération de Paris.

TABLE DES ILLUSTRATIONS

ACHEVÉ D'IMPRIMER LE 15 SEPTEMBRE 1974
POUR LE COMPTE DES ÉDITIONS SUN A PARIS.
LES ILLUSTRATIONS EN NOIR ONT ÉTÉ TIRÉES
CHEZ BRAUN A MULHOUSE.
LES ILLUSTRATIONS EN COULEURS
PAR L'IMPRIMERIE MODERNE DU LION,
A PARIS.